D0714287

le plus beau
PRENOM
pour votre enfant

le plus beau
PRENOM
pour votre enfant

par

Pascale Van de Putte

Un nom pour la vie

Le premier cadeau qu'offrent les parents à leur enfant, c'est un prénom; cadeau important car il est donné pour la vie.

Le temps où le prénom devait prolonger celui du grand-père ou de la grand-mère, du parrain ou de la marraine est heureusement révolu. Aujourd'hui, les parents choisissent en toute liberté le prénom de leur enfant.

Comment utiliser ce livre?

A la fin de l'ouvrage nous avons inséré une liste alphabétique de plus de 2000 prénoms. Certains sont des prénoms autonomes, qui ont tous été repris dans la première partie du livre où vous trouvez les explications des noms, mais la plupart des noms de cette liste sont des variantes ou des formes dérivées. Elles sont suivies du nom autonome qui est indiqué entre parenthèses et que vous trouvez dans la première partie de ce livre.

Si vous accordez plus d'importance à la sonorité d'un nom qu'à sa signification, vous pouvez parcourir la liste alphabétique et dire les noms à haute voix, mais n'oubliez pas de considérer l'harmonie du prénom avec le nom de famille.

Si la signification d'un nom vous paraît primordiale, consultez plutôt la première partie de ce livre. Presque tous les noms autonomes ont un certain nombre de variantes ou de formes dérivées dont la signification est la même mais qui sonnent peut-être un peu plus moderne.

L'origine des prénoms

Jadis, les prénoms, tout comme les noms de famille, servaient à qualifier les gens, suivant leur origine (comme Maurice pour les habitants de Mauritanie), leur date de naissance (comme Noël), leur physique (comme Grace), leur caractère (comme Clément), leur valeur au combat (comme Clotilde), etc.

Plus tard, le succès d'un prénom fut largement déterminé par la popularité des personnages historiques qui le portaient. On nommait un enfant d'après les héros de la mythologie grecque et romaine, d'après les saints et personnages bibliques, d'après les guerriers célèbres, d'après les reines et les rois, ou, dans une époque plus récente, d'après les héros de la littérature ou les vedettes du cinéma.

Depuis quelques années, vous pouvez aussi composer vous-même le prénom de votre enfant. Vous pouvez former un nom en combinant deux noms existants, ainsi vous pouvez fondre Rita et Rolande en Rilande. Vous pouvez aussi faire varier une partie d'un nom et transformer Damienne en Domienne. Vous pouvez également choisir un nom de plante ou d'animal comme prénom, ainsi qu'on l'a fait au Moyen Age avec Rose, Hyacinthe, Colombe,...

Mais quel que soit le nom que vous donnez à votre enfant, n'oubliez pas qu'il le gardera toute la vie. Son nom ne devrait jamais prêter à rire.

Abel G

Ce nom biblique, dérivé de l'hébreu *hevel*, signifie «le périssable».
La forme féminine est *Abella*.

Abélard G

Ce nom germanique, composé de deux éléments, signifie «noble et courageux». Populaire au Moyen Age, il est maintenant un peu démodé.

Abélia F

Ce nom est le nom d'un arbuste aux fleurs blanches ou rosées qui pousse en Chine et dans l'Himalaya. La plante fut découverte par Abel Clarke qui lui donna son nom.

Abraham G

Ce nom hébreu signifie probablement «le père (divin) est clément». Dans l'ancien testament il est expliqué comme «le père d'une multitude de peuples». La forme originelle était *Abram*: «le père (divin) est élevé».
Variante: *Abrahim*

Achmed G

Ce nom d'origine arabe signifie «digne d'éloges».
Variante: *Ahmed*

Adam G

Le personnage d'Adam est certainement connu de tous. Ce nom biblique est d'origine hébraïque et signifie «homme».
Variantes: *Adanet, Adenet, Adnet, Adné, Adenot, Adno*

Adèle F

Ce nom qui signifie «de noble lignée» était porté au Moyen Age par de jeunes filles nobles.
Variantes: *Adelaïde, Adeline, Adine, Ali(nl), Alice (angl), Alicia, Alida, Aline, Alisa, Alissa, Lidi, Lidia, Lidy (nl)*

Adelise F

Petit nom formé de la composition d'*adel* «noble» et de *lise* d'*Elisabeth*.

Adhémar G

Ce nom d'origine germanique signifie «célèbre dans le combat».

Adolphe G

Ce nom germanique signifie «noble loup» mais il a perdu beaucoup de sa popularité depuis Hitler.

Adolphine F

Forme féminine d'*Adolphe*.
Variante: *Dolphine*

Adrien G

Il est possible que ce nom vienne du latin «ater» qui signifie «noir comme du jais», référant au sable foncé de la côte devant la mer Adriatique.

Adrienne F

Forme féminine d'*Adrien*.
Variantes: *Adriane, Adriëlle (nl), Adriëtte (nl), Ariëlle (nl), Ariëtte (nl)*

Agathe F

Ce nom d'origine grecque signifie «bon». C'est aussi un nom de sainte; *sainte Agathe* était une des saintes les plus honorées par le peuple depuis le 5ième siècle.
Variante: *Agatha (angl)*

Agnès F

Ce nom vient du grec *hagnos*: «saine, sans culpabilité, immaculée». Il apparut souvent dans l'aristocratie française.
Variantes: *Agnetha (suéd), Inès (esp), Iñez (esp)*

Aïda F

C'est Verdi qui a rendu célèbre ce nom de femme.

Aimée F

La signification de ce beau nom de femme ne laisse pas l'ombre d'un doute.
La forme masculine est *Aimé*.
Variante: *Amy (angl)*

Aimery G

Ce nom composé de deux éléments germaniques signifie «d'une maison puissante».
Variante: *Aimeric*

Alain G

Ce nom vient du latin *Alanus* qui désigne une tribu barbare venue de Scythie. Il est devenu populaire en Grande-Bretagne du temps de Guillaume le Conquérant sous la forme d'*Alan*.

Alban G

Le nom vient du latin *Albanus*: «celui qui vient d'Alba», une ville en Italie.
Variantes: *Albain, Auban, Aubain, Aubanel*

Albert G

Ce nom, qui est composé de deux éléments germaniques, *adel* et *brecht*, signifie «celui qui scintille par la noblesse». Saint Albert était un théologien et un scientifique remarquable.
Variantes: *Adalbert (forme aristocratique), Alberti, Aldebert, Aubert (forme populaire), Audebert, Audibert*

Alberte F

Forme féminine d'*Albert*.
Variantes: *Alberta (nl), Albertine, Berthe, Elberdina (nl), Ellyberthe (nl)*

Aldegonde F

Ce nom germanique signifie «noble combattante».
Variantes: *Alda, Gonda (nl)*

Alexandra F

Forme féminine d'Alexandre.
Variantes: *Alexandrine, Alexine, Alix, Xandra (nl), Xandrine (nl), Sandra (it), Sandrine (it), Sandy (angl), Sascha (russe)*

Alexandre G

En grec ce nom signifie «le protecteur». Mais il est possible qu'à l'origine ce fut un nom hittite. Alexandre était un nom très populaire dans les familles impériales et royales, surtout en Russie et en Écosse. *Alexandre III le Grand*, élevé par Aristote, conquit un empire qui s'étendit jusqu'aux Indes.
Variantes: *Alec (angl), Alessio (it), Alex, Alexis, Axel (nl), Sascha (russe)*

Alexis G

Ce nom qui en grec signifie «aide, défenseur» pourrait être une abréviation d'*Alexandre*.
Variante: *Alexi*

Alfred G

Ce nom est d'origine anglo-saxonne et signifie: «conseillé par les sylphes». Il a été très en vogue pendant la période du romantisme.
La forme féminine est *Alfreda*.
Variantes: *Alfredo (esp), Fred (angl), Freddie (nl)*

Alice F

Bien que ce nom soit dérivé d'*Adelaïde*, on l'emploie souvent de façon autonome.
Variante: *Alison (angl)*

Alphonse G

Le nom, dérivé du gothique *hadufuns*, signifie «prêt à la bataille». Il est devenu très populaire en Espagne où beaucoup de rois l'ont porté.
Variantes: *Alonso (esp), Fons (nl)*

Alphonsine F

Forme féminine d'*Alphonse*.
Variantes: *Alphonsa, Fonsine, Sine*

Alouette F

Ce nom est d'origine latine.
Variante: *Louette*

Aloysius G

Ce nom est une forme latinisée du germanique *al wisi* qui signifie «sage à tous les égards».
La forme féminine est *Alouisa*.
Variante: *Aloïs*

Amable F

Ce nom, provenant du latin *amabilis*, signifie «aimable, charmante».
Variantes: *Amabilis, Amabel (angl), Amy (angl), Mabel, Mabile*

Amand G

Ce nom vient du latin *amandus*: «celui qui est digne d'être aimé».

Amanda F

Forme féminine d'*Amand*.
Variantes: *Amande, Amandine, Mandy (angl)*

Amarante F

Ce nom d'origine grecque signifie «impérissable, beauté impérissable».
Variante: *Amarantha*

Amaryllis F

Ce nom vient probablement du grec *amarussein*: «briller (des yeux)». Il a été employé pour la première fois dans la poésie pastorale.

Ambroise G

Ce nom veut dire «immortel» puisqu'il est lié à l'ambroisie, la nourriture des dieux de l'Olympe, source d'immortalité.
La forme féminine est *Ambrosine*.

Amadée G

Ce nom est d'origine latine et signifie «celui qui aime Dieu». Il est devenu célèbre

grâce à *Wolfgang Amadeus Mozart*. La forme italienne *Amadeo* est la plus populaire.
Variantes: *Amadèo (it), Amadeus (all)*

Amaury G

Ce nom d'origine germanique signifie «vaillant dans la lutte».
Variantes: *Ayméry, Améry, Almabric*

Anaïs F

Ce nom est dérivé du grec *anahita* et signifie «féconde».

Anastase G

Ce nom d'origine grecque signifie «né le jour de la résurrection» ou «ressuscité à une nouvelle vie par le baptême».

Anastasie F

Forme féminine d'*Anastase*. *Anastasia* était Grande-duchesse de la Russie, ce qui a ajouté à la popularité de ce nom. La forme *Natasja* est très populaire.
Variantes: *Asta (all), Anastasia (all), Natasja (russe); Stasi (all)*

Anatole G

Ce nom d'origine grecque signifie «celui qui vient du Levant».

André G

Ce nom vient du grec *Andreios*: «viril, courageux». On le retrouve dans toute l'Europe.
Variantes: *Anders (suéd), Andréi (russe), Andrés (esp), Andrew (angl), Andy (angl)*

Andrée F

Forme féminine d'*André*.
Variantes: *Andréa, Andriëtte, Antine*

Ange F

Ce nom d'origine grecque signifie «ange» ou «comme un ange». Il s'est répandu d'abord en Italie, puis dans toute l'Europe.
Variantes: *Angèl, Angelo (it)*

Angèle F

Forme féminine d'*Ange*. Surtout la forme *Angélique* a connu un certain succès dans les pays francophones.
Variantes: *Angelice (nl), Angéline, Angelie (all), Angélique*

Anne F

Anna est la forme grecque de l'hébreu *Hanna*: «grâce, celle qui a reçu la grâce, gracieuse». Ce nom est populaire partout en Europe; aussi a-t-il beaucoup de variantes. En France, la forme *Anouk* a connu une nouvelle vogue vers 1966 grâce à la vedette *Anouk Aimée*.

Variantes: *Anna, Annette, Annie, Annick (nl), Anike (suéd), Anita (it), Anja (nl), Anouk (russe), Anushka (russe), Nancy (angl), Nannette, Nanon, Nanou, Nanouk, Ninon*

Annabelle F

Une combinaison d'*Anne* et de *Belle*.

Anneclaire F

Une combinaison d'*Anne* et de *Claire*.

Annefleur F

Une combinaison d'*Anne* et de *Fleur*.

Annelore F

Un nom composé d'*Anne* et d'*Eléonore*.

Anne-Marie F

Les noms *Anne* et *Marie* furent si souvent donnés ensemble à une nouvelle-née qu'à la longue on fit un nom composé: *Anne-Marie*. Vers la fin du XVIIième siècle le nom devint populaire dans le sud de l'Europe, puis dans l'Europe entière.
Variante: *Annemie (nl)*

Anselme G

Ce nom d'origine germanique signifie «celui qui est protégé par les dieux».
Variantes: *Anseaume, Antheaume*

Antigone F

Ce nom grec signifie «celle qui peut rivaliser par sa gloire». Antigone est une héroïne bien-aimée dans les littératures anciennes et modernes. Jean Cocteau et Jean Anouilh lui ont assuré sa popularité actuelle.

Antoine G

La signification de ce nom n'est pas claire. Il est certain que ce nom était déjà connu du temps des Romains (cfr. *Marcus Antonius*). Trois saints qui portaient ce nom l'ont rendu populaire en Occident.
Variantes: *Anton (all), Antonin, Antonio (esp), Anthony, Tony*

Antoinette F

Forme féminine d'*Antoine*.
Variantes: *Antonia (nl), Antonine, Tony, Toinet*

Apollinaire G

Ce nom d'origine latine signifie: «appartenant à Apollon». Mais l'origine du nom d'Apollon, comme celle du dieu, est obscure.
Variante: *Apollin*

Apolline Ⓕ
Forme féminine d'*Apollinaire*.
Variante: *Polly (angl)*

Arabelle Ⓕ
Ce nom est probablement d'origine espagnole et signifie «la petite Arabe, la brune». Mais il se pourrait qu'il soit une variante écossaise d'*Anabelle*.

Ariane Ⓕ
En crétois *ari-hagnè* signifie «la très respectable, très sainte», ce qui veut dire que le vrai nom était tu par respect. Dans la mythologie, *Ariane* était la fille du roi de Crète, Minos, qui donna une pelote de fil à dévider à Thésée afin qu'il pût retrouver le chemin du labyrinthe où il alla pour tuer le Minotaure, un monstre moitié taureau, moitié homme.
Variante: *Ariadne (nl)*

Ariel Ⓖ
Ce nom biblique signifie «lion de dieu» ou «foyer de dieu». Plus tard, au Moyen Age, ce fut le nom d'un esprit gardien. C'est alors qu'il fit son entrée dans la littérature. La forme féminine est *Ariëlle*.

Aristide Ⓖ
Le nom est dérivé du grec *Aristeides*: «le fils du meilleur». *Aristide Briand* a contribué à la popularité de ce nom.

Arlette Ⓕ
A l'origine c'était un nom normand qui signifiait probablement «femme noble».

Armand Ⓖ
Ce nom d'origine germanique signifie: «le héros de l'armée». On le rencontre dans toute l'Europe sous différentes formes.
Variantes: *Armant, Herman (all)*

Armande Ⓕ
Forme féminine d'*Armand*.
Variantes: *Armance, Armandine (nl), Hermance, Hermine*

Armel Ⓖ
Ce nom est dérivé du celtique *arz* et *mael* qui signifie: «ours» et «prince».
La forme féminine est *Armella*.

Arnaud Ⓖ
Ce nom germanique signifie «régnant comme un aigle».
Variantes: *Arnoul (d), Arnold, Naudin*

Arsène Ⓖ
Ce nom est dérivé du grec *arsèn*: «le viril, le mâle, le fort».

Arthur Ⓖ
L'origine et la signification de ce nom sont obscures. On l'associe au celtique *artus*: «ours». Au XIIIième siècle, les célèbres romans d'Arthur ont introduit ce nom en Europe continentale.

Astrid Ⓕ
Ce nom d'origine scandinave signifie «belle déesse». La popularité de la reine *Astrid de Belgique* a contribué à répandre ce nom.
Variantes: *Asta, Asti*

Athalie Ⓕ
Ce nom hébreu signifie «Dieu a montré sa grandeur».

Athanase Ⓖ
Ce nom d'origine grecque signifie «immortel».

Aubaud Ⓖ
Cet ancien nom d'origine germanique signifie «tout audacieux».
Variante: *Aubard*

Auberon Ⓖ
Cet ancien nom d'origine germanique signifie «noble ours».
Variante: *Aubron*

Aubin Ⓖ
Ce nom vient du latin *albus*: «blanc».

Aubine Ⓕ
Forme féminine d'*Aubin*.
Variantes: *Albina (angl), Albinia (angl), Bine (nl)*

Aubrey Ⓖ
Ce nom d'origine germanique veut dire à peu près «celui qui règne sur les êtres supraterrestres».
Variantes: *Albéric, Aubry, Obéron*

Aude Ⓕ
Ce nom dérivé du grec *alda* signifie «vieille». La belle *Aude* était la fiancée de Roland de *la chanson de Roland*.
Variante: *Auda*

Audry Ⓖ
Ce nom est dérivé du germanique *alda-ric*, ce qui signifie «vieux et riche».
Variante: *Audric*

Auguste Ⓖ
Ce nom d'origine latine signifie «sacré, élevé». Le célèbre empereur romain *Augustus* a donné son nom au mois d'août.
Variantes: *Agostino (it), Augustin, Austin (angl), Gustin*

Aure Ⓕ

Ce nom est dérivé du latin *aurora*: «l'aube, le levant», un mot qui est de la famille de *aurum*: «or». Aurore était la déesse de l'aube.

Variantes: *Aurore, Aurée*

Aurélien Ⓖ

L'origine de ce nom n'est pas claire. Il pourrait être déduit du latin *aurum*: «or» ou du grec *aura*: «brise» ou de l'étrusque *usil*: «soleil».

La forme féminine est *Aurélie*.

Variante: *Aurèle*

Aymon Ⓖ

Ce nom est dérivé du germanique *haim* qui signifie «maison, foyer».

Variantes: *Aimon, Hémon*

Balthazar Ⓖ

Ce nom d'origine assyrienne signifie: «le dieu Bel protège sa vie». Nom légendaire d'un des trois Rois mages. Le nom est entré dans nos contrées vers le XVIème siècle.

Baptiste Ⓖ

Ce nom est dérivé du grec *baptistès*: «qui administre le baptême».

Il est souvent combiné avec Jean.

Barbara Ⓕ

Ce nom est dérivé du grec *barbaros*: «étrange, étranger». On appelle l'aide de *sainte Barbara* contre la foudre et une mort inattendue. La légende veut que sainte Barbara fut incarcérée par son père qui la livra au tribunal et fut foudroyée sur le lieu de justice.

Variantes: *Babette, Babiche, Barbe, Barbie, Berby (nl)*

Barnabé Ⓖ

Ce nom d'origine hébraïque signifie «le fils de la consolation».

Variantes: *Barnabas (angl), Barnaby (angl), Barney (angl), Bas (all)*

Barry Ⓖ

Ce nom serait dérivé d'un vieux nom irlandais *Bearrach*: «bon tireur». Au XIXième siècle le nom a perdu son caractère irlandais et s'est répandu de plus en plus.

Bartholomé Ⓖ

Ce nom est, en fait, un patrimoine araméen: *Bar Tolmai*: «fils de Tolmai» ce qui signifie: «fils de celui qui trace des sillons» ou bien «fils de celui qui a le visage marqué de plis et de rides».

Variantes: *Bart (nl), Barthélemy, Bartolo (it)*

Basil Ⓖ

Ce nom est dérivé du grec *basileios*: «le royal». Il est très populaire dans les pays slaves.

Variante: *Vasilie (russe)*

Bathilde Ⓕ

Bathilde dont le nom est d'origine germanique était une serve qui épousa Clovis II et devint une reine franque. Après la mort de son époux, elle gouverna son royaume.

Baudouin Ⓖ

Ce nom, dérivé du germanique *bald-win*, signifie «ami audacieux». Choisi d'abord dans les familles royales, il s'est popularisé depuis que *Baudouin* est devenu roi de Belgique.

Bayard Ⓖ

Ce nom d'origine française est dérivé de *bai*, la couleur brun rougeâtre d'un cheval.

Béate Ⓕ

Ce nom est dérivé du latin *beata*: «l'heureuse, la bénie».

Béatrice Ⓕ

Ce nom, qui est dérivé du latin, signifie «celle qui porte bonheur». On le rencontre souvent dans les pays néerlandophones, surtout après la naissance de *la reine Béatrix des Pays-Bas*.

Variantes: *Béa, Béatrix, Bice, Trix (angl), Trixie (angl)*

Bélinde Ⓕ

Ce nom est dérivé du germanique *Betlindis*. La signification de la première partie n'est pas claire; le deuxième élément signifie «serpent», comme symbole de la connaissance de secrets. *Bélinde* était la femme de Roland dans les romans du Moyen Age.

Belle Ⓕ

Ce nom, dérivé du latin *bella*, n'a nul be-

soin d'explication. On peut aussi le considérer comme une abréviation d'*Arabelle* ou d'*Isabelle*.
Variantes: *Bella, Bellina (it)*

Ben Ⓖ

Ce nom peut être considéré comme une abréviation de *Benjamin* ou de *Bénédicte* mais il est si souvent employé seul qu'il a acquis la qualité d'un nom à part entière. Il est très populaire en Angleterre.

Benjamin Ⓖ

Ce nom hébreu signifie «fils du sud, de la main droite, de bon augure». Le nom est entré dans nos contrées vers la fin du XVIIIième siècle.
La forme féminine est *Benjamine*.

Bénine Ⓕ

Ce nom, qui est dérivé du français *bénigne*, signifie «généreuse, bienveillante».

Benoît Ⓖ

Ce nom pourrait être emprunté aux textes bibliques latins. *Benedictus* signifie «le béni». Le nom s'est répandu en Europe occidentale en même temps que l'ordre religieux des Bénédictins, fondé par *saint Benoît*.
Variantes: *Bénédict, Benito (esp), Bennet (angl), Bettino (it), Betto (it)*

Benoîte Ⓕ

Forme féminine de *Benoît*.
Variantes: *Bendetta (it), Betta (it), Bettina (it), Bénédicte, Bénédictine (nl), Benita (esp)*

Bérenger Ⓖ

Ce nom composé de deux éléments germaniques signifie «le combattant avec la lance, aussi fort qu'un ours».
La forme féminine est *Bérangère*.
Variante: *Béranger*

Bérénice Ⓕ

Le nom est dérivé d'une forme macédoine du grec *pherenikè* «apportant la gloire». *Bérénice* était une princesse juive qui séduisit Titus. Racine a raconté son histoire dans la tragédie du même nom.

Bernard Ⓖ

Ce nom d'origine germanique signifie «audacieux et fort comme un ours». Ce nom a connu une popularité constante grâce aux divers *saints Bernard*. Le plus célèbre est *saint Bernard de Menthon* qui fonda des hospices pour aider les voyageurs qui passaient les Alpes.
Variantes: *Bernardin, Bernier*

Bernadette Ⓕ

La forme féminine de *Bernard*.
Variante: *Bernardine*

Berthe Ⓕ

Ce nom d'origine germanique signifie «illustre, brillante».
Variante: *Bertha*

Bertille Ⓖ

Ce nom d'origine germanique signifie «vaillant au combat».

Bertold Ⓖ

Cet ancien nom germanique signifie «souverain brillant».

Bertrand Ⓖ

Ce nom germanique signifie «brillant (combattant armé du) bouclier». Ce nom est populaire dans les pays francophones.
Variante: *Bertran*

Benvenuta Ⓕ

C'est la forme italienne pour le français «bienvenue».
La forme masculine est *Benvenuto*.
Variante: *Bienvenue*

Béryl Ⓕ

Ce nom anglais est dérivé du grec *bèrullos*, le nom d'une pierre précieuse vert-océan. En arabe le mot veut dire «claire comme du cristal». Ce nom est assez moderne.

Bibiche Ⓕ

Ce nom est dérivé de la langue enfantine dans laquelle *bibi* signifie moi.

Birgitte Ⓕ

Ce nom est d'origine suédoise. *Sainte Birgitte* est la patronne de la Suède.
Variantes: *Birgit, Birgitta (all), Britta (all), Gita (all)*

Björn Ⓖ

Ce nom est d'origine scandinave. Il est possible qu'il signifie «ours». *Björn Borg* a rendu ce nom célèbre dans l'Europe entière.

Blaise Ⓖ

D'habitude on accepte que ce nom est dérivé du grec *basileios*: «le royal». Mais on ne peut pas exclure la théorie qui dit qu'il vient du grec *blaisos*: «bégayant», puisque *Blaesus* était un sobriquet romain.

Blanche Ⓕ

Ce nom est une forme latinisée du germanique *blankas*: «candide, blanche, pure, brillante».

Variantes: *Bianca (it), Blanca*

Blandine Ⓕ

Ce nom est dérivé du latin *blandus*: «douce, séduisante, caressante». Une variante est *Blondine*, qui signifierait alors plutôt «la blonde».

Variante: *Blondine*

Boniface Ⓖ

Ce nom d'origine latine signifie «bienfaiteur, celui qui fait le bien».

Boris Ⓖ

Ce nom, porté jadis par des princes russes et bulgares, est dérivé du russe *borets*: «combattant». A l'heure actuelle il est assez fréquent en Angleterre et en Allemagne.

Brenda Ⓕ

Ce nom d'origine shetlandaise signifie «épée flamboyante».

Brice Ⓖ

Il est possible que ce nom soit d'origine celtique; il signifierait alors «l'élevé, le plus âgé» mais il se peut aussi qu'il soit associé à la forêt *Saltus Brixius* qui se trouve dans la région de *La Brise*.

Brigitte Ⓕ

Brigitta est la forme latinisée de l'ancien irlandais *Brighid*: «l'élevée». Il y a probablement aussi un rapport avec la taille plus élevée des habitants de la Bourgogne. L'irlandais moderne *brighid* signifie «belle femme».

Variantes: *Brigida, Brigide, Britt (angl), Gita (nl)*

Bruno Ⓖ

Ce nom pourrait provenir du gothique *brunjô*: «cuirasse» ou bien il signifierait «brun, luisant, poli».

Calixte Ⓖ

Ce nom qui est dérivé du grec *kallistos* signifie «le très beau».

Variantes: *Calliste, Callixte*

Camille Ⓖ Ⓕ

Il est possible que ce nom, qui peut être donné à un garçon ou à une fille, vienne du latin *camillus* qui désignait un jeune homme servant les sacrifices aux dieux.

Variantes: *Camilla, Camillo (it)*

Candide Ⓖ

C'est Voltaire qui a fait de Candide, emprunté du latin, un nom littéraire.

Cara Ⓕ

Ce nom emprunté au latin signifie «chère».

Carmen Ⓕ

Ce nom espagnol signifie «née le jour de la fête de *Notre Dame de Carmel*», ainsi désignée d'après la montagne entre Galilée et Samaric où fut fondé l'ordre des Carmes.

Variante: *Carmella (populaire surtout aux E.-U.)*

Casimir Ⓖ

D'habitude on pense que ce nom polonais signifie «réconciliateur». Mais il se pourrait aussi que ce nom, porté par de nombreux rois de Pologne et de Lituanie, signifie au contraire «perturbateur de la paix».

Cassandre Ⓕ

Ce nom d'origine grecque signifie «celle qui brille parmi les hommes». *Cassandre* était l'amante d'Apollon dans la mythologie grecque. Elle avait le don de la prophétie. Elle prédit la chute de Troie mais personne ne la crut.

Cassien Ⓖ

On pense que ce nom signifie «le pauvre».

Catherine Ⓕ

Ce nom signifie selon toute probabilité

«pure, chaste». Le nom s'est répandu au début du Moyen Age dans toute l'Europe. La fréquence de ce nom en explique la grande variété des dérivés et des petits noms. *Catherine II la Grande, impératrice de Russie*, a montré qu'une femme peut parfaitement gouverner un pays.

Variantes: *Catalina (esp), Carine, Cathleen (angl), Cathy (angl), Karen (suéd), Karin (suéd), Karina (norv), Katalinka (russe), Katarina (russe), Katia (russe), Katinka (russe), Kay (angl), Kitty (angl), Nina (esp), Tini, Tinka (russe), Trinette*

Cécile G F
Ce nom est dérivé du nom de famille latin *Caecilius*, dérivé à son tour du latin *caecus*: «aveugle».

Variantes: *Célia (angl), Célie, Cecilia*

Cédric G
L'origine de ce nom gallois est obscure. Il est devenu populaire grâce aux romans *Ivanhoe* et *Little Lord Fauntleroy*. On pourrait le traduire comme «gentil exemple».

Céleste G
Ce nom est dérivé du latin *caelestis* qui signifie «venant du ciel, céleste, divin».

Variante: *Célestin*

Célestine F
Forme féminine de Céleste.

Variantes: *Céline, Sélina*

César G
L'origine de ce nom est obscure. Dès l'époque romaine cependant on l'associe aux enfants qui sont nés par une césarienne. Il signifierait donc «qui a eu une naissance difficile». *Jules César*, le plus célèbre chef de l'empire romain, avait une intuition militaire exceptionnelle et un sens politique remarquable. Il régna dans un contexte républicain, avec l'appui du peuple. Pourtant, il fut assassiné. Sa grandeur fit que les empereurs romains prirent après lui le titre de César. Le nom est populaire dans le Midi.
La forme féminine est *Césarine*.

Variante: *Césaire*

Chantal F
Ce nom français était à l'origine le patronyme de la famille de *Sainte-Jeanne de Chantal*. Chantal est dérivé de l'ancien occitan *cantal*: «pierre». En 1913, le nom fut accepté comme prénom à Rennes. Il est devenu populaire par la suite.

Charles G
Ce nom d'origine germanique signifie «homme libre» (mais qui n'appartient pas à la noblesse). Ensuite, le nom s'est vu latiniser en *Carolus* qui signifie: «magnanime, viril, vigoureux». Le nom est devenu très vite populaire partout en Europe par le culte de Charlemagne.

Variantes: *Carlos (esp), Carole, Charlie (angl), Karl (all)*

Charlotte F
La forme féminine de *Charles*.
La première femme à porter ce nom était *Charlotte de Savoie*, l'épouse de Louis XI. De France, le nom s'est répandu dans toute l'Europe.

Variantes: *Carla, Carli (nl), Carola, Carole, Carolina, Carolyn (angl), Carrie (angl), Charline (nl), Carlota (esp), Karla (hong), Line (nl), Lola, Lotte*

Chérie F
Ce nom indique clairement sa signification.

Variante: *Chérise*

Chloë F
Ce nom d'origine grecque signifie «fraîche verdure, jeune bouture». Les poètes surtout ont aimé ce nom.

Christian G
Ce nom est directement dérivé de *Christi*, du grec *christos*: «l'oint». Ce nom est très populaire, surtout au Danemark où il a été porté par plusieurs rois.

Variantes: *Chrétien, Christien, Chris, Karsten (norv)*

Christine F
Forme féminine de *Christian*.

Variantes: *Chrétienne, Christa (all), Christiane, Christel (all), Christy (angl), Chrissy (angl), Kersten (da), Kirsten (da), Kirstine (da), Tina, Tini, Tiny*

Christophe G
Ce nom, dérivé du grec, signifie «celui qui porte le Christ dans son cœur». D'après la légende *saint Christophe* était un géant. Jésus Christ, déguisé en petit enfant, lui demanda de lui faire passer un torrent en le portant sur ses épaules. Saint Christophe s'étonna du poids de cet enfant, à quoi Jésus répondit: «Avec moi, vous avez porté les péchés du monde».

Cindy F
Ce nom, qui à l'origine est une abréviation de *Lucinde* ou de *Cynthia*, est employé de plus en plus de façon autonome.

Claire Ⓕ

Ce nom est dérivé du latin *clarus*: «claire, luisante». Au Moyen Age déjà, ce nom était très populaire dans toute l'Europe.
Variantes: *Clara, Clarisse, Clairette, Clarinde (angl)*

Claude Ⓖ

Ce nom est dérivé du latin *claudus*: «claudiquant, boiteux». On le rencontre souvent en France.
Variante: *Claudi*

Claudine Ⓕ

Forme féminine de *Claude*.
Variantes: *Claude, Claudette, Claudia (nl), Claudi*

Clélia Ⓕ

Clélia était le nom d'une jeune fille qui fut prise en otage par le roi de Porsenne mais qui réussit à s'échapper.
Variante: *Clélie*

Clémence Ⓕ

Forme féminine de *Clément*.
Variantes: *Clemma (angl), Clémentine*

Clément Ⓖ

Ce nom est dérivé du latin *clemens*: «doux, clément». Il a été porté par plusieurs papes, ce qui a assuré sa popularité surtout au début du Moyen Age.

Cléopâtre Ⓕ

Ce nom est la forme féminine dérivée du grec *Kleopatros*: «la gloire du père». La forme abrégée *Cléo* est plus fréquente. *Cléopâtre* gouverna l'Egypte avec un sens politique extraordinaire; elle réussit à donner à son pays un rôle mondial important.
Variante: *Cléo*

Clotaire Ⓖ

Ce nom d'origine franque signifie «le guerrier».

Clotilde Ⓕ

Ce nom d'origine germanique signifie: «illustre combattante». *Clotilde* épousa Clovis en 493 et le convertit. En Angleterre, on rencontre ce nom assez souvent dans les familles catholiques.

Clovis Ⓖ

A l'origine, ce nom est dérivé du germanique *Hlud-wig* qui signifie «illustre combattant». La forme française *Clovis* est dérivée d'une latinisation de ce nom en *Clodovicus* (*Ludovicus*). *Clovis* était le plus célèbre roi des Francs.

Colette Ⓕ

Ce nom est en réalité le diminutif de *Nicole* mais il est si souvent employé de façon autonome qu'on le considère comme un nom à part entière.

Colomban Ⓖ

Ce nom dérivé du latin signifie «colombe».
Variante: *Colón (esp)*

Colombe Ⓕ

Forme féminine de *Colomban*.
Variante: *Colomba (esp)*

Côme Ⓖ

Ce nom est dérivé du grec *kosmos*: «monde».
Variantes: *Cosimo (it), Cosme*

Conrad Ⓖ

Ce nom germanique composé des éléments *koen-raad* signifie: «conseiller compétent». Beaucoup de nobles, surtout en Allemagne, ont porté ce nom au Moyen Age, ce qui a assuré sa popularité. Aujourd'hui encore, c'est un nom fréquent en Allemagne.
Variante: *Kurt*

Constance Ⓕ

Forme féminine de *Constant*.
Variantes: *Connie (angl), Conny (angl), Constantine*

Constant Ⓖ

Ce nom, dérivé du latin *constans*, signifie «persévérant, tenace». Grâce à *Constantin le Grand*, le premier empereur chrétien de l'empire romain, ce nom est devenu populaire très tôt. Constantin le Grand a donné son nom à la ville de Constantinople.
Variante: *Constantin*

Coralie Ⓕ

Ce nom est dérivé du grec *kouralion*: «corail». Il a paru en France vers la fin du XVIIIième siècle.

Corentin Ⓖ

Ce nom qui est dérivé du celtique *kar* signifie «ami».

Corinne Ⓕ

Ce nom est dérivé du grec *korè*: «fille». En France, il est devenu populaire sous l'influence du roman *Corinne* de Mme de Staël.
Variante: *Cora*

Corneille Ⓖ

Il est probable que ce nom est dérivé du latin *cornu* et signifie «le cornu».

Variante: *Cornélius*

Crépin G

Ce nom est dérivé du latin *crispus* et signifie «crépu».
Variantes: *Crespin, Crispin*

Curtis G

Ce nom anglais signifie «courtois».

Cyprien G

Ce nom, dérivé du latin *cyprianus*, signifie
«natif de Chypre».

Cyriaque G

Ce nom, dérivé du grec *kuriakos*, signifie
«voué au seigneur».

Cyrille G

Ce nom est probablement dérivé du grec
kurios: «seigneur». Il est très populaire
dans les pays slaves; en Angleterre aussi,
on le rencontre fréquemment.

Dagmar Ⓕ

Ce nom d'origine slave signifie «paix aimée».

Dagobert G

Ce nom d'origine germanique signifie
«brillant comme le jour». Ce fut le nom des
rois francs de la période mérovingienne.
Variante: *Dabert*

Daisy Ⓕ

Ce nom anglais qui signifie «marguerite»
est un petit nom de *Marguerite*. Actuellement, il est considéré comme un nom de
fleur.

Dalia Ⓕ

Dalia est également un nom de fleur.

Damien G

Ce nom serait dérivé du grec *damazein*:
«dominer, réprimer».

Daniel G

Ce nom hébreu signifie «mon juge est
Dieu». Il a acquis sa popularité au début du
Moyen Age. La forme anglaise *Danny* est
assez fréquente.
Variantes: *Daan (nl), Danny (angl)*

Danielle Ⓕ

Forme féminine de *Daniel*.
Variantes: *Dana (irl), Danièle, Danka (slav),
Danny*

Daphné Ⓕ

Le mot grec *daphne* signifie «laurier».
Dans la mythologie grecque *Daphne* était
une nymphe qui fut transformée en laurier. Ce nom littéraire est relativement fréquent dans les pays anglosaxons.

Darius G

Ce nom est dérivé de l'ancien perse *Daraia-
vahoesj*: «celui qui protège les posses-
sions».
La forme féminine est *Daria*.

David G

Ce nom hébreu signifie «tendre ami». *David* était le roi d'Israël qui, d'un coup de
fronde, abattit le géant Goliath.
Variantes: *Dave (angl), Davy (angl)*

Davide Ⓕ

Forme féminine de *David*.
Variantes: *Davida (all), Davina (angl)*

Déborah Ⓕ

Ce nom hébreu signifie «abeille». Il est très
populaire en Angleterre et aux Etats-Unis
dans les familles israélites et protestantes.
Variante: *Debra (angl)*

Dédé Ⓕ

Ce petit nom vient du langage enfantin. Il
est probablement dérivé d'*Adèle*.

Deirdre Ⓕ

Ce nom irlandais pourrait être dérivé du
celtique *deoirid*: «au cœur rompu». En Irlande, on lui donne la signification «chérie».

Délilah Ⓕ

Ce nom hébreu signifie «la langoureuse».
Délilah fut l'amante de Samson.
Variante: *Dalilah*

Delphine Ⓕ

Ce nom, dérivé du grec *delphis*, signifie
«dauphin». On le rencontre le plus souvent
dans les pays francophones.
Variante: *Dauphine*

Denis G

Ce nom vient du grec *dionusos* qui veut dire «fils de Dieu». *Saint Denis* était un des saints les plus populaires du royaume de France. Un vieux cri de guerre français était «Montjoie St Denis».
Variante: *Dines (dan), Dion (all)*

Denise F

Forme féminine de *Denis*.
Variante: *Dionne*

Deodat G

Ce nom dérivé du latin *deodatus* signifie «par dieu donné»; la forme *Dieudonné* se rencontre à l'origine dans le nord de la France, alors que le prénom *Déodat* était usité dans le Sud.
Variantes: *Dié, Dieudonné*

Désiré G

Ce nom, très fréquent en France, est dérivé du latin *desideratus:* «le désiré».
La forme féminine est *Désirée.*

Diane F

Diane était le nom latin de la déesse de la lune, de la lumière et de la chasse. Ce nom est devenu populaire en Italie pendant la Renaissance, d'où il est passé en France.
Variantes: *Diana, Dianne*

Didier G

Ce nom est dérivé du latin *desiderium:* «tout désir». On emploie ce nom, en France depuis le troisième siècle.

Diego G

Ce nom espagnol est dérivé de *Jacques.*

Dimitri G

Ce nom russe est dérivé du grec *Demetrios:* «fils de Demeter». *Demeter* était la déesse de la terre et de l'agriculture.
Variante: *Dimi*

Dinah F

Dinah est un nom hébreu qui signifie «jugement».

Dirk G

Ce nom, qui en fait est une abréviation de *Diederik (= Thierry)*, est employé de façon autonome depuis le Moyen Age.

Djamila F

Ce nom d'origine arabe signifie «belle».
Variante: *Jamilla*

Dolores F

Ce nom espagnol est emprunté à *Maria de los dolores*. A l'origine, les filles nées le 15 septembre, le jour des sept douleurs de la Vierge, furent nommées Dolores. Le nom se répandit plus tard. Actuellement on le rencontre souvent aux Etats-Unis.
Variantes: *Lola, Lolita*

Dominique G F

Ce nom, dérivé du latin *dominicus*, signifie «qui appartient au Seigneur» ou peut-être aussi «né le jour du Seigneur» (= dimanche). *Saint Dominique*, fondateur de l'ordre religieux des Dominicains, a assuré la popularité de ce nom.
Variantes: *Doménico (it), Doménique, Domien, Domingo (esp)*

Donald G

Ce nom anglais d'origine gaélique signifie «celui qui règne sur le monde». En Ecosse surtout, ce nom est populaire. Il est souvent abrégé en *Don*.
La forme féminine est alors *Dona*.
Variantes: *Don, Donny*

Donatien G

Ce nom, dérivé du latin *donatus*, signifie «donné (par dieu)». Considéré comme désuet naguère, il revient à la mode.
Variante: *Donat*

Donatienne F

Forme féminine de *Donatien*.
Variantes: *Donata, Donatella (it)*

Doris F

Ce nom anglais était à l'origine un nom de la mythologie grecque et signifie «lance». *Doris* était la fille de Tethys et de l'océan. Ce nom est populaire dans les pays anglo-saxons.

Dorothée F

Ce nom, dérivé du grec, signifie «don de Dieu». Il a beaucoup de variantes, dont la plupart sont anglaises.
Variantes: *Doll (angl), Dolly (angl), Dora, Doreen (angl), Doriane (angl), Dorette, Dorinne, Dorothy (angl), Thea (nl)*

Douce F

Ce nom, dérivé du latin *dulcis*, signifie «douce, charmante, gentille, gracieuse».
Variantes: *Douceline, Dulceline, Dulcie, Dulcinea (esp)*

Durand G

Ce nom d'origine italienne est probablement dérivé du verbe latin *durare*: «supporter, persister, continuer». Il fut fréquent en France et en Italie pendant le Moyen Age. L'abréviation italienne de *Durand* est *Dante*.

Variante: *Dante*

Edgar ⒢

Ce nom d'origine germanique signifie à peu près «celui qui protège le patrimoine avec une lance». A l'origine, c'était un nom anglais mais il s'est répandu vite en Europe. A l'heure actuelle, on le considère comme un nom moderne.
Variante: *Edgard*

Edith ⒡

Edith, dérivé de l'anglo-saxon *éad-gyth*, signifie «combattante pour le patrimoine». Il est parvenu en Europe continentale sous l'influence de l'aristocratie allemande.
Variante: *Editha*

Edmée ⒡

Forme féminine d'*Edmond*.
Variantes: *Edmonde, Edmunda*

Edmond ⒢

Ce nom, dérivé de l'anglo-saxon *éad-mund*, signifie «protecteur du patrimoine».
Variante: *Edmé*

Edna ⒡

Ce nom anglais est dérivé de l'hébreu *Adna*: «gentillesse, tendresse».

Edouard ⒢

Ce nom est dérivé de l'anglo-saxon *éadward* et signifie «gardien du patrimoine». Il a été porté par plusieurs rois anglais.
Variantes: *Duarte (port), Ed (nl), Eddie (nl), Eddy (angl), Eduardo (it), Teddy (angl)*

Edwige ⒡

Ce nom est dérivé de l'anglo-saxon *éad-wig* et signifie «combattant pour le patrimoine».

Eglantine ⒡

Eglantine est dérivé du nom botanique *églantier*, à son tour dérivé du latin *aculentum*: «pointu, piquant». Ce nom apparut dans de vieux romans français.

Electre ⒡

Ce nom est dérivé du grec *èlektron*: «ambre brillant». *Electre* est le personnage principal de plusieurs tragédies grecques. Elle était la fille d'Agamemnon et de Clytemnestre. Elle sauva son frère Oreste après la mort de son père.

Eléonore ⒡

L'origine de ce nom est obscure; il y aurait un rapport avec l'arabe *Ellinor*: «Dieu est ma lumière» et avec le grec *eleos*: «pitié». *Aliénor d'Aquitaine*, reine de France, puis, répudiée, reine d'Angleterre introduisit ce nom à la cour royale anglaise.
Variantes: *Aliénor, Elinor (angl), Leonora (it), Lora (all), Lore (all), Nora (all), Nore (all), Norina (it)*

Eli ⒢

Ce nom hébreu signifie «hauteur, élévation».

Eliane ⒡

Cette forme féminine d'*Eli* est très populaire en France.

Elie ⒢

Ce nom hébreu signifie: «Jahvé est mon Dieu». Il fut assez populaire pendant le Moyen Age.
Variantes: *Elias (angl) Elijah (angl), Ilja (russe)*

Elisabeth ⒡

Ce nom est dérivé de l'hébreu *Elisjeba*: «je jure par Dieu, Dieu est mon serment». Comme beaucoup de reines ont porté ce nom, il est devenu très populaire. Aussi a-t-il de multiples variantes.
Variantes: *Babette, Bess (angl), Bessie (angl), Bets (angl), Bettine (it), Betsie (angl), Betty (angl), Elisa, Elise, Elizabeth, Ella, Els (nl), Elsa, Elsbeth (nl), Elselina, Elza, Liesbeth (nl), Lisa (it), Lise, Lisette, Liza, Lizzy (angl), Sissy (angl)*

Elisée ⒡

Ce nom hébreu signifie «Dieu est mon salut».

Ellen ⒡

Ce nom est une ancienne forme anglaise d'*Hélène*. Il est beaucoup employé en Irlande.

Elmire ⒡

Ce nom est dérivé de l'arabe *Amiera*: «princesse».

Elodie ⒡

Ce nom est dérivé du germanique *al* et *od* et signifie: «tout entière richesse».

19

Eloy G

Ce nom est dérivé du latin *eligius* qui signifie «élu».
Variante: *Eloi*

Elvire F

Il est possible que ce nom soit dérivé du germanique *alwara*: «protégeant en tout». Il est devenu célèbre par l'opéra *Don Juan*.

Emile G

Ce nom vient du grec *haimulos* qui signifie «le doux, l'aimable». *Emile ou de l'éducation* de Jean-Jacques Rousseau l'a rendu populaire.
Variante: *Emilien*

Emilie F

Forme féminine d'*Emile*.
Variantes: *Amélie, Emilienne, Emmy (angl), Melissa (angl), Milly (angl)*

Emma F

Ce nom d'origine franque s'est répandu en France et en Angleterre. Le radical germanique *ermana* signifie «grand, formidable».
Variante: *Emmy (angl)*

Emmanuel G

Ce nom est dérivé de l'hébreu *imm-el* qui signifie «Dieu est avec nous».
Variantes: *Immanuel (all), Manu, Manuel, Manoló (it)*

Emmanuelle F

Forme féminine d'*Emmanuel*.
Variantes: *Immanuela, Manuela (esp), Manuelle, Nanda (it)*

Emry G

Il y a plusieurs explications pour ce nom: «grand et puissant», «terrible et puissant»,... Emry était un nom très populaire en Hongrie.

Enguerrand G

L'origine de ce nom germanique est peu claire; il pourrait signifier «corbeau des anges». Le corbeau était un oiseau sacré pour les Francs.
Variante: *Enguerran*

Enid F

Ce nom anglais est dérivé du gallois *enaid*: «vie, âme».

Ephraim G

Ce nom hébreu signifie «le fertile». On le rencontre encore aux Etats-Unis.

Erard G

Ce nom signifie «fort par sa gloire».

Erasme G

Ce nom, dérivé du grec *erasmios*, signifie «aimable, charmant».

Eric G

Ce nom germanique signifie probablement «maître de la loi». Ce nom, qui était très populaire dans les pays scandinaves, s'est répandu en Angleterre et en Allemagne; puis de là dans toute l'Europe.
La forme féminine est *Erika*.

Ermelinde F

Ce nom d'origine germanique signifie «vaillante combattante avec le bouclier».
Variantes: *Hermelindis, Ermlinde, Irmlinde*

Erna F

Ce nom est probablement dérivé du germanique *arnuz*: «aigle». On peut aussi le considérer comme une abréviation d'*Ernesta* (voir *Ernestine*).

Ernest G

Ce nom d'origine germanique signifie «avec fermeté, courageux, sérieux». Il s'est répandu en Allemagne d'abord, très populaire parmi les aristocrates en France ensuite (XVIème siècle) et enfin en Angleterre (XVIIIième siècle).
Variantes: *Ernesto (it), Ernie (angl)*

Ernestine F

Forme féminine d'*Ernest*.
Variantes: *Ernesta (all), Ernesta (all)*

Esmeralda F

En espagnol *esmeralda* signifie «émeraude». L'œuvre de Victor Hugo a rendu ce nom populaire.

Espérance F

Ce nom dérivé du latin *esperantia* signifie «espoir».

Estelle F

Ce nom est dérivé du latin *stella* qui signifie «étoile».
Variantes: *Estrella (esp), Stella*

Esther F

Ce nom biblique a comme équivalent hébreu *Hadassa*: «myrthe verte». Mais il pourrait aussi avoir un rapport avec le perse *isjitar*: «étoile, belle jeune fille». L'*Esther* de Racine a assuré une certaine popularité de ce nom en France.

Etienne G

Ce nom est dérivé du grec *stephanos* qui signifie «couronne». Déjà très populaire jadis, il l'est encore plus aujourd'hui.

Eugène G

Ce nom est dérivé du grec *eugenios*: «bien né, noble».
Variante: *Gene (angl)*

Eugénie F

Forme féminine d'*Eugène*. Ce nom est dans le vent à l'heure actuelle.
Variantes: *Eugenia (angl), Nini*

Eulalie F

Ce nom est dérivé du grec *eu laleo* et signifie «à la belle parole».

Eunice F

Ce nom dérivé du grec *eu-nikè* signifie «bonne victoire».

Euryanthe F

Ce nom grec signifie «fleurissante partout».

Eurydice F

Ce nom grec signifie «la justice punissant partout». Dans la mythologie grecque, Orphée, descendu dans le Hades, persuada Pluton par sa musique de laisser partir sa femme *Eurydice*.

Eusèbe G

Ce nom, dérivé du grec, signifie «pieux». La forme féminine est *Ysoie*.

Eustache G

Ce nom est dérivé du grec *eu-stachos* qui signifie «chargé de beaux épis».

Euthalie F

Ce nom, dérivé du grec *euthalès*, signifie «belle fleurissante».

Evangeline F

Ce prénom de fantaisie semble avoir été créé par Longfellow. Il n'est pas rare en Angleterre et aux Etats-Unis.

Evariste G

Ce nom est dérivé du grec *eu-arestos* qui signifie «qui plaît, agréable».

Eve F

Ce nom est dérivé de l'hébreu *haivah* qui signifie «vie, celle qui donne la vie». Eve était la première femme que Dieu créa, la mère de tous les hommes.
Variantes: *Eva, Evi (all), Evita (esp)*

Evelyne F

Bien qu'Evelyne soit dérivé d'*Eve*, on le considère comme un nom distinct.

Evianne F

Combinaison d'*Eve* et d'*Anne*.

Evrard G

Ce nom, composé du germanique *everhard*, signifie «fort comme un sanglier».

Ezra G

Ce nom hébreu signifie «aide». Il est plus populaire aux Etats-Unis qu'en Europe.

Fabien G

Ce prénom est probablement dérivé du nom de famille *Fabius* qui signifie «originaire de la ville de *Fabiae*».
Variantes: *Fabian (angl), Fabius*

Fabienne F

Forme féminine de *Fabien*. La variante *Fabiola* connaît une certaine popularité depuis le mariage de *Doña Fabiola de Mora y Aragon* avec le roi Baudouin de Belgique.
Variantes: *Fabiana, Fabiola (esp)*

Fabrice G

Ce nom est dérivé du latin *faber* et signifie «artisanal, excellent».

Fanny F

Ce nom, qui à l'origine appartenait au langage enfantin, est en réalité une forme abrégée de *Françoise*.

Fatima F

C'est l'un des prénoms musulmans les plus populaires. *Fatima* était la fille du prophète Mohamed.

Faustin G

Ce nom est dérivé du latin *faustus* qui signifie «celui qui prédit le bonheur favorisant».
Variante: *Fausto (it)*

Faustine Ⓕ
Forme féminine de *Faustin*.
Variante: *Fausta*

Félicie Ⓕ
Forme féminine de *Félix*.
Variantes: *Félice, Félicia (esp), Félicienne, Félicité.*

Félix Ⓖ
Ce nom d'origine latine signifie «heureux, apportant le bonheur, fertile». *Felicitas* était la déesse romaine de la fertilité et du bonheur.

Ferdinand Ⓖ
Ce nom d'origine gothique signifie «protecteur courageux». Il a été porté par de nombreux rois d'Espagne, empereurs d'Allemagne et d'Autriche.
Variantes: *Fernand, Fernando (esp), Ferrand, Hernando (esp)*

Fernande Ⓕ
Forme féminine de *Ferdinand*.
Variantes: *Ferdinande, Fernanda, Nanda (nl)*

Fidèle Ⓖ
Ce nom est dérivé du latin *fidelis* qui signifie «croyant».
Variante: *Foy*

Fiona Ⓕ
Il paraît que William Sharp a inventé ce nom en créant une forme féminine du gaélique *fionn*: «blond, blanc».

Firmin Ⓖ
Ce nom est dérivé du latin *firmus* et signifie «fort, ferme, énergique».
Variante: *Firmín (esp)*

Flavien Ⓖ
Ce nom est probablement dérivé du latin *flavens*: «blond, jaune».
La forme féminine est *Flavia*.
Variante: *Flavian*

Fleuri-Anne Ⓕ
Combinaison de *Flore* et d'*Anne*.

Flore Ⓕ
Ce nom est dérivé du latin *floris* qui signifie «fleur». Il est difficile de distinguer les variantes de *Flore* des variantes de *Florence*, dérivé du latin *florens*: «en fleur, fleurissant». A l'origine il était porté par les femmes nobles françaises.
Variantes: *Fiora (it), Fiorina (it), Fleur, Flora, Florence, Florentine, Floriane, Florine, Floss (angl), Flossie (angl)*

Florent Ⓖ
Ce nom a la même origine que *Flore*.
Variantes: *Florian, Florentin*

Fortunat Ⓖ
Ce nom qui est dérivé du latin *fortunatus* signifie «heureux, favorisé par la chance».
Variantes: *Fortune, Fortuné*

François Ⓖ
Saint François d'Assise a rendu ce nom populaire. A sa naissance, il fut baptisé Giovanni, mais après qu'il eut fait un voyage en France, son père le nomma *Francesco*: «le français». En même temps que la popularité de saint François, son nom s'est répandu dans toute l'Europe. En France, la gloire de François Ier a renforcé cet effet.
Variantes: *France, Francesco (it), Francique, Francis (angl), Franck, Frans (nl), Franz (all), Paco (esp), Pancho (esp), Paquito (esp)*

Françoise Ⓕ
La forme féminine de *François*.
Variantes: *Ciska (nl), Fanny, France, Frances (angl), Francesca (it), Francette, Francine, Francis, Pancha (esp), Panchita (esp)*

Frédérique Ⓖ
Ce nom d'origine germanique signifie «très pacifique». Il existe depuis longtemps déjà mais, en Allemagne, *Frédérique le Grand* et, en Angleterre, *Frederic prince of Wales* l'ont rendu encore plus populaire.
Variantes: *Federigo (esp), Fred (angl), Freddy (angl), Frédéri (Provence), Frédéric, Frédérick, Friedrich (all), Fritz (all)*

Frédérique Ⓕ
Forme féminine de *Frédérique*.
Variantes: *Freda (angl), Frida (angl), Frieda (all), Frederica (angl), Rika (nl)*

Frémond Ⓖ
Ce nom d'origine germanique signifie «protecteur de la paix».

Freya Ⓕ
Nom de la déesse germanique de l'amour et du mariage.
Variante: *Fréa*

Gabriel G

Ce nom hébreu signifie «homme (fort) de Dieu». *Gabriel* était l'un des archanges de la tradition juive qui annonça à Marie la naissance de Jésus.
Variantes: *Gabi, Gabrio (it), Gaby*

Gabrielle F

Forme féminine de *Gabriel*.
Variantes: *Gabi, Gabriella (it), Gaby*

Gaetan G

Ce nom, dérivé du latin *cajetanus*, signifie «originaire de Gaëta».
La forme féminine est *Gaétane*.

Galathée F

Ce nom grec pourrait signifier «blanche comme le lait». Ce nom revint à la mode à la Renaissance.

Gallien G

Ce nom est dérivé du grec *galènos*: «calme».

Gareth G

L'origine de ce nom anglais n'est pas claire.
Variantes: *Garret, Gary (angl)*

Garnoud G

Ce nom d'origine germanique signifie à peu près «avide de régner».

Gaspar G

Ce nom pourrait être dérivé du perse *kandschwar* qui signifie «trésorier». *Gaspar* était celui des trois rois mages qui portait l'encens.
Variantes: *Caspar (angl), Gaspard, Gasparin*

Gaston G

Le nom est dérivé du saxon *waast*: «hôte». *Saint Vast* était l'évêque d'Arras. Sa popularité au Moyen Age explique le grand succès qu'a connu le nom de Gaston en France. Il y avait en plus *Gaston*, duc d'Orléans, fils d'Henri IV.
Variante: *Foster (angl)*

Gauthier G

Ce nom dérivé du germanique *wald-her* signifie «chef qui gouverne l'armée».
Variantes: *Gauger, Gaugier, Gautier, Walter (all), Walther*

Gauvin G

Ce nom, que l'on rencontre dans les romans d'Arthur, est dérivé du gallois *Gwalchmai* qui signifie «autour blanc» ou «autour de la plaine». On trouve fréquemment les formes anglaises *Gavin* et *Gavina* en Ecosse.

Gédéon G

Ce nom d'origine hébreu signifie «le destructeur». Il n'est pas rare en France.
Variante: *Gidéon*

Gènes G

Ce nom est dérivé du grec *genos*: «race».

Geneviève F

Ce nom est probablement dérivé du germanique *geno*: «race» et *urfa*: «dame». *Sainte Geneviève* fut très populaire en France. Elle est la patronne de Paris.
Variantes: *Gina, Ginette, Veva*

Geoffroy G

Ce nom d'origine germanique signifie «celui qui vit sous la paix de Dieu».
Variantes: *Godefroy, Godfried*

Georges G

Ce nom est dérivé du grec *ge-orgos*: «travailleur de la terre, agriculteur». *Saint Georges* fut d'abord honoré dans les pays de l'Orient, mais il devint populaire en Europe occidentale par les croisades, surtout depuis Richard Cœur de Lion; d'où les nombreuses variantes de ce nom. La forme russe *Yuri* est devenue très fréquente quand le monde a vu l'astronaute russe Yuri Alekseyevich Gagarin.
Variantes: *Giorgio (it), Joeri (ru), Jordi, Jörgen (suéd), Jorge (esp), Jürgen (all), Juri (ru), Jurian (all), Yoeri (ru), Yuri (ru)*

Georgette F

Forme féminine de *Georges*.
Variantes: *George, Georgia, Georgina, Georgine, Gina (suéd)*

Gérald G

Ce nom d'origine germanique signifie: «ce-

lui qui règne avec la lance». Il est populaire en Angleterre.
La forme féminine est *Géraldine*.
Variantes: *Géraud, Giraldo (it), Girod*

Gérard G
Ce nom d'origine germanique signifie: «fort, habile à manier la lance».
Variante: *Gerd (all)*

Gérarde F
Forme féminine de *Gérard*.
Variantes: *Gérardine, Gerda*

Gerbaud G
Ce nom d'origine germanique signifie: «courageux avec la lance».

Gerda F
Gerda peut être considéré comme une abréviation de *Gérarde*, mais il peut également être un nom autonome qui signifie: «(svelte) comme un rameau».

Germain G
Ce nom est probablement dérivé du latin *germanus*: «d'un propre frère, fraternel». Quelques saints français en ont fait un nom populaire en France.
La forme féminine est *Germaine*.

Gertrude F
Ce nom d'origine germanique signifie probablement: «forte lance». Il est populaire depuis le Moyen Age et s'est répandu dans toute l'Europe.
Variantes: *Gertie (angl), Trudy (all), Tula (esp)*

Gervais G
L'origine de ce nom est obscure. Pour les uns, il est dérivé du grec *gerousios* «celui qui deviendra vieux», pour les autres, il est d'origine germanique et signifie «lansquenet», pour d'autres encore il vient du grec *gherazein*: «honorer».
La forme féminine est *Gervaise*.

Géry G
Ce nom est dérivé du germanique *jari* et signifie «lance».

Ghislain G
Ce nom qui semble si français est en fait le petit nom d'amitié d'un nom d'origine germanique dont le radical est *gisil*: «flèche».
La forme féminine est *Ghislaine*.

Gilbert G
Ce nom est dérivé du germanique *gisilbert*: «noble otage».
La forme féminine est *Gilberte*.

Gilles G
Gilles est dérivé du latin *Aegidius*, dont la signification n'est pas très claire. *Saint Gilles* a rendu ce nom populaire au début du Moyen Age.
Variantes: *Egide, Gide, Gillard*

Gilda G
Nom féminin qui est dérivé d'*Aegidius* (cf. *Gilles*).
Variantes: *Egidia, Gila*

Gina F
Bien que Gina puisse être considéré comme une abréviation de *Régine*, ce nom existe aussi de manière autonome.
La forme masculine correspondante est *Gino*.

Gisèle F
Ce nom pourrait signifier: «otage, enfant noble» ou «flèche». Il apparut tôt en France et revint à la mode au XIXième siècle avec la musique du ballet *Giselle* d'Adam.
Variantes: *Gisa (all), Gisela (angl), Giselinde, Giselle*

Gladys F
Ce nom anglais est d'origine galloise. Jusqu'au XIXième siècle, on ne le rencontra qu'au pays de Galles, aujourd'hui c'est un des noms gallois les plus répandus.

Glenn G
A l'origine, Glenn fut un patronyme gallois, dérivé de *glyn*: «vallée». Mais à la suite du voyage dans l'espace de John Glenn, Glenn a été introduit comme prénom aux Etats-Unis d'abord, en Europe ensuite.

Gloria F
Ce nom signifie «gloire» en latin. Ce sont les Anglais qui l'ont employé les premiers au XIXième siècle.

Godart G
Ce nom d'origine germanique signifie: «fort comme un dieu».

Gontran G
Ce nom d'origine germanique signifie: «bouclier de combat».

Gonzague G
A l'origine, ce prénom fut le patronyme de *Saint Louis de Gonzague*, patron de la jeunesse chrétienne; il appartenait à une des plus célèbres familles d'Italie.

Grace F
Ce nom est dérivé du latin *gratia*: «grâce».
La popularité de ce prénom a été renforcée

par *Grace Kelly*, la feue princesse de Monaco.
Variantes: *Gracie, Grazia (it), Graziella (it)*

Gratien G
Forme masculine de *Grace*.

Grégoire G
Ce nom est dérivé du grec *grègorios*: «le vigilant, celui qui veille». Plusieurs saints et évêques ont assuré la popularité de ce nom.
Variantes: *Gregor (all), Gregoria (esp), Gregory (angl), Joris (nl)*

Griselda F
Ce nom anglais, qui signifie probablement «la combattante au casque», vint à la mode sous l'influence de la littérature. On le rencontre fréquemment en Ecosse.

Guillaume G
Guillaume est composé de deux éléments germaniques: *wil*, qui veut dire «volonté», et *helm*, qui signifie «protecteur». Ce nom, porté par plusieurs rois et ducs au Moyen Age, a toujours été populaire.
Variantes: *Bill (angl), Billy (angl), Guillermo (esp), Wilhelm (all), William (angl), Willy (angl), Wim (nl)*

Guillaumette F
Forme féminine de *Guillaume*.
Variante: *Guillemette*

Guinèvre F
Guinèvre signifie «femme féconde». Ce nom anglais est devenu célèbre par les romans d'Arthur. *Guinèvre* était la femme du roi Arthur.
Variantes: *Ginevra, Guinevère*

Gusta F
Forme féminine de *Gustave*.
Variantes: *Gustaphine, Gustavie, Gustine*

Gustave G
La signification de ce nom est probablement «celui qui prospère». Comme six rois de Suède ont porté ce nom, il est très répandu dans les pays scandinaves.

Guy G
Guy est une forme romanisée du germanique *wid*: «forêt».
Variantes: *Guido, Guyon*

Gwendoline F
Ce nom gallois signifie: «cercle blanc». Dans les légendes d'Arthur, *Gwendoline* était la fée dont le roi Arthur était amoureux.

Variantes: *Gwendo, Gwénola, Gwénolé*

Hans G
Hans est la forme germanique et scandinave de *Jean*.

Hardi G
Cet ancien nom est d'origine germanique et signifie: «courageux, entreprenant».

Harduin G
Cet ancien nom d'origine germanique signifie: «ami fort».
Variantes: *Arduin, Arduino (it)*

Haydée F
Ce nom est probablement dérivé du grec *aidoos*: «modestie».

Hazel F
Ce nom anglais signifie «noisetier». La littérature anglaise du XIXième siècle l'a rendu populaire.

Heather F
Ce nom anglais qui signifie «bruyère» a connu une grande vogue entre 1950-60 dans les pays anglophones.

Hector G
Ce nom est dérivé du grec *hektoor*: «celui qui tient, qui vainc». Dans la mythologie grecque, *Hector* était le principal chef troyen. Il sauvegarda pendant dix ans sa ville de la destruction promise par les grecs assiégeants.
La forme féminine est *Hectorine*.
Variante: *Ettore (it)*

Hedwige F
Ce nom, qui est dérivé du germanique *Hedwig*, signifie «combattante». Par l'ancien français *Avoice*, le nom parvint en Angleterre où il revit sous les formes *Avis, Avice*. *Sainte Hadewich* devint en français *sainte Avoye*, d'où le verbe *avoyer*: «montrer le bon chemin». Ainsi, elle devint la patronesse des perdus.

Variantes: *Avice, Avoice, Avoye, Hedda (suéd), Hedwige, Hedwig (all)*

Heidi Ⓕ

Le livre pour enfants de Johanna Spyri Vönkler, *Heidi*, a rendu ce prénom allemand, dérivé d'Adèle, populaire dans beaucoup de pays.

Hélène Ⓕ

Ce nom d'origine grecque signifie: «éclat (de soleil)». Dans la mythologie grecque, *Hélène* était l'épouse du roi de Sparte. On la considéra comme la plus belle femme du monde. Pâris, ayant exigé comme enjeu d'un pari – qu'il gagna – la plus belle femme du monde, l'enleva. Ce fut le prélude à la guerre de Troie. Hélène est un nom très fréquent.
Variantes: *Aileen (écos), Elaine, Elena (esp), Elenita (esp), Helen (angl), Helena (angl), Halla (pol), Ilka (ru), Ilona (ru), Lena (all), Leni (all)*

Helga Ⓕ

Ce nom scandinave d'origine germanique signifie: «l'heureuse». La forme s'est répandue en Europe en même temps que sa variante russe *Olga*.
Variante: *Olga*

Héloïse Ⓕ

Ce nom anglais est dérivé du germanique *Heile-wita*: «bonheur et forêt». Le nom devint populaire en France au XVIIIième siècle sous l'influence de *Julie ou la nouvelle Héloïse* de J.J. Rousseau.

Henri Ⓖ

Henri est un des noms germaniques les plus populaires. Il signifie «maître de la maison». Etant donné qu'il a été porté par d'innombrables rois, empereurs, ducs, princes et comtes, il est devenu très populaire.
Variantes: *Arrigo (it), Enrico (it), Enrique (esp), Enzio (it), Harry (angl), Hein (nl), Heinrich (all), Heinz (all), Hendrik (nl), Henry (angl)*

Henriette Ⓕ

Forme féminine d'*Henri*.
Variantes: *Hariette (angl), Harriot (angl), Hetty (angl), Jetta (nl), Rita*

Hérault Ⓖ

Ce nom d'origine germanique signifie «chef de l'armée». Ce nom très ancien est devenu très populaire dans les pays scandinaves.
Variantes: *Araldo (it), Harald (all), Harold (angl), Harry (angl)*

Herbauc Ⓖ

Cet ancien nom d'origine germanique signifie: «courageux, hardi (dans l'armée)».

Herbert Ⓖ

Ce nom d'origine germanique signifie: «excellent dans l'armée». Au Moyen Age, il fut populaire en Allemagne et en Angleterre où il revint à la mode au XIXième siècle.
Variantes: *Ariberto (it), Erberto (it), Eriberto (it)*

Hercule Ⓖ

Ce nom, dérivé du grec, signifie: «fameux par Héra». Dans la mythologie grecque, *Hercule* est connu pour sa force.

Hermione Ⓕ

Dans la mythologie grecque, *Hermione* était la fille d'Hélène de Troie et de Ménélas.

Hervé Ⓖ

Ce nom français est dérivé du germanique *hard-wig*, qui signifie «fort au combat». Il est toujours populaire en France. Du temps des Normands, il passa en Angleterre où il prit la forme d'*Harvey*.
Variante: *Harvey (angl)*

Hilaire Ⓖ

Ce nom est dérivé du grec et signifie: «gai, joyeux». Hilaire était le nom de plusieurs saints.
Variantes: *Hilary (angl). Ce nom convient pour les garçons comme pour les filles.*

Hilda Ⓕ

Le nom Hilda et ses variantes sont des abréviations ou des petits noms de tous les noms relatifs avec *hild*. Ils ont tous un rapport avec «combat».
Variantes: *Elda (it), Hilde, Hilda (suéd), Ilda (it)*

Hildegarde Ⓕ

Ce nom est composé de deux éléments germaniques qui signifient: «combat et espace clos». *Sainte Hildegarde* a rendu ce nom populaire, surtout en Allemagne.

Hillegonde Ⓕ

Ce nom d'origine germanique signifie: «habile au combat».
Variante: *Gonda*

Hiltrude Ⓕ

Ce nom d'origine germanique signifie: «combat aimé».

Hippolyte Ⓖ

Ce nom vient du grec *hippoligos*, qui signifie: «celui qui délie les chevaux».

Honoré G

Ce nom est dérivé du latin *honoratus* et signifie: «honoré, digne d'honneurs, qui reçoit des honneurs». Le nom apparut en France au IXième siècle déjà; à l'heure actuelle, il y est toujours assez populaire.
Variante: *Honorât*

Honorée F

Forme féminine d'*Honoré*.
Variantes: *Honora (angl), Honorine, Nora (irl)*

Hortense F

Ce nom était à l'origine un nom de patriciens romains et avait un rapport avec *hortus*. On le rencontre surtout en France.
Variante: *Hortensia (angl)*

Hubert G

Ce nom d'origine germanique signifie: «d'intelligence brillante». Il doit sa popularité à *saint Hubert*, l'apôtre des Ardennes et le patron des chasseurs.
Variante: *Uberto (esp)*

Huberte F

Forme féminine d'*Hubert*.
Variantes: *Bertha, Berthe, Hubertine, Tina, Tini*

Hugues G

Ce nom d'origine germanique signifie: «intelligent». Au XIème siècle déjà, il avait acquis une certaine popularité en France d'où il se répandit vers le Nord.
La forme féminine est *Huguette*.
Variantes: *Hue, Hugo, Hugon, Huon*

Humbert G

Ce nom d'origine germanique signifie probablement: «ours, géant, brillant». Il était fréquent dans la région de Savoie.
Variante: *Umberto (it)*

Humfroi G

Ce nom pourrait signifier «le Hun pacifique».
Variantes: *Humphrey (angl), Onfroi*

Hyacinthe F

Ce nom est à l'origine un nom de fleur et de pierre précieuse: la jacinthe.
Variantes: *m: Giacinto (it), Jacinto (esp)*
fem.: Giacinta (it), Jacinta (esp), Jacinthe.

Ida F

Ida peut être l'abréviation d'un nom en *ide* mais il peut aussi être un nom autonome dérivé du germanique *id*: «zèle».

Ignace G

Ce nom pourrait signifier: «embrasé d'amour, de zèle». Il a été très populaire en Espagne.
Variante: *Iñigo (esp)*

Igor G

Ce nom est la variante russe du scandinave *Ingvar*. Il signifie probablement: «protégé par le chef des As».

Ilse F

Ce nom allemand peut être considéré comme une forme abrégée d'*Elisabeth*, mais il était à l'origine le nom d'une nymphe celtique. Il signifie «la chaste».

Ina F

Ce nom est en fait une abréviation des noms en *ine* mais on l'emploie de plus en plus de façon autonome.

Indira F

Dans la mythologie indienne, *Indira* est le chef suprême du ciel. En Europe, le nom est donné aux filles.

Inès F

Ce nom est dérivé du grec et signifie «pure».

Ingrid F

Ingrid peut signifier «belle sous la protection d'*Ingo*». Ingo était un dieu germanique. Ce nom devient de plus en plus populaire depuis quelques décennies.

Innocent G

Ce nom dérivé du latin signifie: «vertueux».

Iphigénie Ⓕ

Ce nom est dérivé du grec et signifie: «celle qui est née avec la force». Dans la mythologie grecque, le père d'Iphigénie, Agamemnon, voulut la sacrifier aux dieux afin qu'ils fissent se lever le vent pour que sa flotte pût quitter le port.

Ira Ⓖ

Ce nom hébreu signifie: «poulain». On le rencontre souvent aux Etats-Unis.

Irène Ⓕ

Ce nom est dérivé du grec *eirênè* qui veut dire «paix». Plusieurs saintes et impératrices l'ont porté si bien qu'il a vite été répandu en Europe.
La forme masculine est *Iréné*.
Variantes: *Iréna (tchec), Irénée, Irina (ru)*

Iris Ⓕ

Ce nom d'origine grecque veut dire: «messagère des dieux, l'arc-en-ciel». Pour les Grecs, l'arc-en-ciel était le pont entre le monde terrestre et le monde divin. Le nom est devenu populaire en Angleterre d'abord, en Europe continentale ensuite.

Irisabelle Ⓕ

Combinaison d'*Iris* et d'*Isabelle*.

Irma Ⓕ

Ce nom d'origine germanique signifie: «grande, énorme».
Variantes: *Ima, Irméla, Irmine*

Isabelle Ⓕ

Ce nom, qui existe de façon autonome depuis longtemps, est une variante d'*Elisabeth*, employée pour la première fois en Provence d'où il passa en Espagne. De nombreuses reines françaises et espagnoles ont porté ce nom.
Variantes: *Bella, Belle, Isa, Isabeau, Isobel (écos)*

Iseult Ⓕ

Iseult est probablement d'origine celtique et signifie: «guerrière de fer». Le roman médiéval *Tristan et Iseult* et l'opéra de Wagner *Tristan und Isolde* ont assuré la célébrité de ce nom.
Variantes: *Iseut, Isolde, Yseult.*

Isidore Ⓖ

Ce nom grec pourrait signifier «don de la déesse Isis». Il s'est répandu en Europe par la popularité de *saint Isidore le laboureur*.

Ivan Ⓖ

Ivan est la variante russe de *Jean*.

Ivar Ⓖ

Ce nom scandinave signifie: «guerrier à l'arc en bois d'if».

Ivor Ⓖ

Ce nom gallois signifie: «maître».

Jacqueline Ⓕ

Forme féminine de *Jacques*.
Variantes: *Jacoba (angl), Jacobine (écos), Jacomine, Jackie (angl), Jacquette, Line*

Jacques Ⓖ

Ce nom, dont il existe beaucoup de variantes, aussi bien pour les filles que pour les garçons, est d'origine hébraïque mais sa signification n'est pas claire. Il pourrait signifier: «celui qui supplante, usurpateur». Il a été très populaire depuis le début du Moyen Age jusqu'à présent.
Variantes: *Diaz (esp), Diego (esp), Giacomo (it), Jaco (esp), Jago (esp), Jaimé (esp), James (angl), Jim (angl), Jimmy (angl)*

Janvier Ⓕ

Ce nom a un rapport avec le premier mois de l'année. C'est surtout en Angleterre qu'on rencontre des prénoms qui sont des noms de mois.
Variante: *Gennaro (it)*

Jasmine Ⓕ

Ce nom d'origine perse est le nom d'un des personnages des *Mille et une nuits*.

Jason Ⓖ

Ce nom est dérivé du grec et signifie: «celle qui apporte la guérison».

Jean Ⓖ

Ce nom d'origine hébraïque connaît d'innombrables variantes. Il signifie: «Dieu est miséricordieux». Beaucoup de saints l'ont rendu populaire dans tout le monde chrétien.
Variantes: *Evan (gallois), Giovanni (it), Gian (it), Gianni (it), Hans (all), Ian (écos), Ivan (ru), Jack (angl), Jan (nl), Jehan, Johan*

(all), Johannes (all), John (angl), Johnny (angl), Juan (esp), Juanito (esp), Yann, Yannic

Jeanne Ⓕ
Forme féminine de Jean.
Variantes: Gianni (it), Giannina (it), Giovanna (it), Hanna (all), Ivana (tchec), Ivanka (ru), Jane (angl), Janet (angl), Janice (angl), Jeannette, Jeanine, Jeannie, Jehanne, Jenny (angl), Jessie, Joanne (angl), Johanna (all), Juana (esp), Juanita (esp)

Jean-Baptiste Ⓖ
Combinaison de Jean et de Baptiste.

Jean-Claude Ⓖ
Combinaison de Jean et de Claude.

Jean-Louis Ⓖ
Combinaison de Jean et de Louis.

Jean-Luc Ⓖ
Combinaison de Jean et de Luc.

Jean-Paul Ⓖ
Combinaison de Jean et de Paul.

Jean-Philippe Ⓖ
Combinaison de Jean et de Philippe.

Jean-Pierre Ⓖ
Combinaison de Jean et de Pierre.

Jean-Sébastien Ⓖ
Combinaison de Jean et de Sébastien.

Jeff Ⓖ
Cette abréviation de Georges est très populaire aux Etats-Unis.

Jérémie Ⓖ
Ce nom d'origine hébraïque signifie probablement: «Dieu crée». Il est populaire en Angleterre et aux Etats-Unis.
Variantes: Jérémias, Jerry (angl)

Jérôme Ⓖ
Ce nom est dérivé du grec hiéronomos: «nom sacré».

Jessica Ⓕ
Ce nom anglais d'origine hebraïque signifie: «celle qui aspire à Dieu».
Variante: Jessy

Jill Ⓕ
Cette abréviation de Julie est très fréquente aux Etats-Unis.

Jim Ⓖ
Une abréviation très populaire de Jacques.

Joachim Ⓖ
Ce nom hébreu signifie: «Dieu accorde». Il est encore populaire en Allemagne.
Variantes: Jochem (all), Jocen (all)

Jocelyn Ⓖ
Ce nom que l'on trouve déjà dans les épopées françaises est dérivé du germanique Gauzelin: «d'origine goth».
La forme féminine est Jocelyne.

Joël Ⓖ
Ce nom hébreu signifie: «Jahvé est Dieu». Il est populaire dans tous les pays francophones.
La forme féminine est Joëlle.

Jonas Ⓖ
Jonas est la variante grecque d'un nom d'origine hébraïque qui signifie «colombe».

Jonathan Ⓖ
Ce nom d'origine hébraïque signifie: «don de Dieu». Il est populaire en Angleterre et aux Etats-Unis.

Joseph Ⓖ
Joseph signifie: «que Dieu ajoute». Ce nom d'origine hébraïque doit sa grande popularité à Joseph de Nazareth, l'époux de Marie. Pourtant il n'est devenu célèbre qu'au cours des derniers siècles et il a fallu attendre le XVIIIième siècle avant de le rencontrer à la cour.
Variantes: Beppe (it), Giuseppe (it), Jef (nl), Jeff (angl), Joe (angl), Jos (nl), José (esp), Josèphe, Joséphin, Josse, Pépé (esp), Pépito (esp), Peppe (it), Seppe (it)

Joséphine Ⓕ
Forme féminine de Joseph.
Variantes: Finetta, Josa, Josée, Joseline, Josette, Josiane, Josyanne, Pépita (esp), Pina (it), Sépha (it)

Josse Ⓖ
Ce nom d'origine bretonne signifie: «rompu au combat».
Variante: Jodocus

Joubert Ⓖ
Cet ancien nom d'origine germanique signifie: «Goths brillants». Les Goths furent un peuple de la Germanie.

Jourdan Ⓖ
La signification de cet ancien nom d'origine germanique n'est pas claire. On l'associe cependant à la rivière du même nom.
La forme féminine est Jordana.

Joy Ⓕ
Cet ancien nom anglais, qui signifie «joie», est revenu à la mode au cours du siècle dernier.

Joyce Ⓕ
Ce nom anglais est dérivé de l'ancien français *joisse* (cf. Josse). La littérature l'a rendu populaire.

Judith Ⓕ
La signification de ce nom pourrait être: «celle qui loue» ou «femme venant de Judée». Il a connu une grande popularité parmi les reines européennes.
Variantes: *Jody (angl), Judy (angl), Jutta (all), Jutte (all)*

Jules Ⓖ
Ce nom pourrait être dérivé du grec *ioulos*, auquel cas il signifierait: «le juvénile», ou bien il viendrait de *Jovilius* et alors il voudrait dire «dédié à Jupiter». *Jules César* et de nombreux saints ont assuré la popularité de ce nom.
Variantes: *Giulio (it), Julian, Julien*

Julie Ⓕ
Forme féminine de *Jules*.
Variantes: *Gill (angl), Giulia (it), Giuletta (it), Juliana (nl), Julienne, Juliette, Jill (angl), Jillian (angl), Liane (all), Lili (all)*

June Ⓕ
Ce nom anglais, qui signifie «juin», est venu à la mode au début de ce siècle.

Justin Ⓖ
Ce nom d'origine latine signifie: «juste, intègre». Il est assez moderne.
Variantes: *Just, Juste*

Justine Ⓕ
Forme féminine de *Justin*.
Variantes: *Justina, Stina (suéd)*

Karen Ⓕ
Ce nom est devenu si populaire au cours des dernières années qu'on s'est mis à le considérer comme autonome, mais il s'agit en fait d'une variante scandinave de *Catherine*.

Kari-Anne Ⓕ
Contraction de *Catherine* et d'*Anne*.

Katia Ⓕ
Katia est le petit nom russe pour *Catherine*.

Kelly Ⓕ
Ce nom irlandais est dérivé de *ceallach*: «guerre». Il est devenu populaire vers 1960.

Kevin Ⓖ
Ce nom d'origine irlandaise signifie: «beau, noble par sa naissance».

Knud Ⓖ
Ce nom d'origine danoise signifie probablement «enfant de noble lignée».

Laban Ⓖ
Ce nom d'origine hébraïque signifie: «le blanc».

Lambert G

Ce nom d'origine germanique signifie: «illustre dans son pays».

Lana F

Ce nom est probablement une abréviation de noms slaves comme *Svetlana*. L'actrice américaine *Lana Turner* l'a rendu célèbre.

Lancelot G

Ce nom a été introduit par Chrétien de Troyes dans ses adaptations françaises des romans d'Arthur. Sa signification n'est pas claire.
Variante: *Lance*

Landry G

Ce nom d'origine germanique signifie: «né dans un pays puissant».

Lanfrey G

Ce nom d'origine germanique signifie: «apportant la paix au pays».

Laurence F

Forme féminine de *Laurent*.
Variantes: *Lara (ru), Larissa (ru), Laura, Laure, Lauretta, Laurette*

Laurent G

Le nom pourrait être dérivé du latin *laurus* et signifierait «couronné de lauriers», ou bien il viendrait de *laurentius* et voudrait dire: «né à Laurentum». *Saint Laurent* était très honoré en Europe occidentale et son nom s'est répandu dès le XIIième siècle.
Variantes: *Larry (angl), Lars (norv), Laure, Laurence, Laurie (écos), Lawrence (angl), Lorenz (all), Lorenzi (it), Renzo (it), Rienzo (it)*

Lazare G

Ce nom d'origine hébraïque signifie: «dieu aide».
La forme féminine est *Lazarine*.

Léa F

Ce nom hébreu signifie: «antilope, vache sauvage». Beaucoup de filles juives s'appellent *Léa*.
Variante: *Lia*

Leila F

Ce nom anglais est d'origine perse et signifie: «celle qui a les cheveux foncés». La poésie anglaise l'a remis à la mode.
Variante: *Laila*

Léo G

Ce nom d'origine latine signifie: «lion». La variante *Léon* est assez populaire en France et dans les familles catholiques en An-

gleterre. *Lionel* est considéré comme une forme plus moderne.
Variantes: *Léon, Léonce, Lionel*

Léocadie G

Ce nom est dérivé du latin *Leucadius* et signifie: «habitant de l'île de Leucade».

Léonard G

Ce nom est une forme latine germanisée qui signifie: «fort comme un lion».
Variante: *Leonardo (it)*

Léontine F

Forme féminine de *Léon*.
Variantes: *Léona, Léone, Léonie*

Léopold G

Ce nom, qui signifie «courageux comme un lion», a été porté par trois rois de Belgique, deux empereurs du Saint-Empire Germanique et de nombreux princes d'Autriche. *Saint Léopold* est le patron de l'Autriche.
La forme féminine est Léopoldine.

Lesley F

Ce nom anglais était à l'origine un patronyme écossais, dérivé d'un nom de lieu. A la fin du siècle dernier on a commencé à l'employer comme prénom.

Lévi G

Ce nom hébreu signifie: «adhérant fidèle». On le rencontre principalement dans les familles juives.

Letty F

Ce nom anglais est dérivé du latin *laetitia* qui signifie «joie».
Variantes: *Laetitia (angl), Leticia (esp), Letizia (it), Lettice (angl)*

Lidwine F

Ce nom d'origine germanique signifie: «amie du peuple».
Variante: *Lydwine*

Lili F

Ce nom d'origine anglaise est associé à la pureté du lys.
Variante: *Lily*

Liliane F

Ce nom est probablement une variante anglaise d'*Elisabeth*.

Lilith F

Lilith est le nom d'une déesse des orages syro-babylonienne. D'après certains rabbins, elle était la première femme d'Adam. L'ayant quitté, elle fut changée en diablesse.

Linda   Ⓕ

Ce nom allemand est d'origine germanique et signifie: «serpent» (comme symbole de celle qui connaît les secrets) ou «bouclier» (de bois de tilleul).

Line   Ⓕ

Line est l'abréviation d'un nom comme *Caroline* mais on l'emploie aussi comme prénom autonome.
Variante: *Lyn (angl)*

Lionel   Ⓖ

Ce nom médiéval apparaît dans les romans celtiques et signifie «petit lion». A l'heure actuelle, ce nom est à la mode en France et en Angleterre.

Lisanne   Ⓕ

Combinaison de *Lise* et d'*Anne*.

Lise   Ⓕ

Ce nom est une forme abrégée d'*Elisabeth*.
Variantes: *Liz (angl), Lizzy (angl)*

Liselore   Ⓕ

Combinaison de *Lise* et d'*Eléonore*.

Liselotte   Ⓕ

Ce nom est une forme moderne composée d'*Elisabeth* et de *Charlotte*.

Livia   Ⓕ

Livia était à l'origine un patronyme romain. *Livia* était la femme de l'empereur Auguste.

Lola   Ⓕ

Ce nom espagnol est le petit nom de *Dolorès* ou de *Carlota*. Il est en vogue aux Etats-Unis.
Variante: *Lolita*

Loretta   Ⓕ

Ce nom est dérivé du sanctuaire de *Marie Loreta* qui se trouve à Ancona. C'est un prénom très populaire aux Etats-Unis.
Variante: *Lorette*

Louis   Ⓖ

Cet ancien nom d'origine germanique signifie: «combattant illustre» ou «combattant pour le butin». Les Carolingiens le rendirent populaire. Sous les Mérovingiens, il prit la forme de *Clodovicus*, puis de *Clovis*. Les rois de France, surtout depuis saint Louis, mirent à la mode la forme française *Louis* qui est restée un prénom très fréquent.
Variantes: *Aloïs, Gigi (it), Gini (it), Lewis (angl), Loïc (disparu), Loïs, Louison, Ludo (nl), Ludovic (it), Ludwig (alsace), Luigi (it), Luigini (it)*

Louise   Ⓕ

Forme féminine de *Louis*.
Variantes: *Lisa, Lise, Lisette, Liza, Louisa, Louisette, Loulou, Luisa, Luise*

Loup   Ⓖ

Ce nom est dérivé du latin *lupus*. Il fait référence à *saint Loup*, évêque de Troies, qui arrêta Attila en 451.
Variante: *Lubin*

Luc   Ⓖ

Ce nom d'origine latine signifie: «originaire de Lucanie». *Luc* était le disciple et le compagnon de saint Paul.
Variantes: *Luca (corse), Lucas*

Lucien   Ⓖ

Ce nom est dérivé du latin *lux*: «lumière» et signifie «le lumineux».
Variante: *Luciano (it)*

Lucie   Ⓕ

Forme féminine de *Lucien*.
Sainte Lucie a mis ce nom à la mode.
Variante: *Cindy (angl), Luce, Lucette, Lucienne, Lucinda, Lucinde, Lucile, Lucy (angl)*

Lucrèce   Ⓕ

Ce nom est dérivé du latin *lucratus*: «qui gagne». *Lucrèce*, épouse de Tarquin Collatin, fut séduite par son neveu Sextus. Prenant à témoin son père et son mari, elle se suicida après leur avoir demandé de la venger. La révolte des Romains qui suivit, détrôna les Tarquins et fit de Rome une république.

Ludmilla   Ⓕ

Ce nom d'origine slave signifie: «aimée du peuple». Il est surtout porté en Europe centrale et dans quelques régions slaves. Sous l'influence de la danseuse *Ludmilla Tchérina* de l'Opéra parisien, on le rencontre aussi en France et en Belgique.

Lutgarde   Ⓕ

Ce nom d'origine germanique signifie: «maison du peuple» ou «enfant du peuple».

Lydie   Ⓕ

Ce nom est dérivé du grec et signifie «habitante de Lydie».
Variante: *Lydia*

Lynn   Ⓕ

Lynn est l'abréviation du nom gallois *Elined*: «idole».

Mabel (F)

Ce nom dérivé du latin *amabilis* est une variante d'*Amable*.

Macaire (G)

Cet ancien nom d'origine grecque signifie: «bienheureux». Il n'a jamais été très fréquent.

Madeleine (F)

Cet ancien nom, toujours très fréquent, signifie: «femme de Magdala», une ville sur le bord du lac de Tibériade où vécut la pécheresse *Marie Madeleine* qui lava les pieds de Jésus. Marie Madeleine devint par la suite une sainte honorée du peuple, ce qui explique la grande popularité de ce nom.
Variantes: *Lena (all), Madeline (angl), Madelon, Mady (nl), Magda (all), Magdalane, Magdaleine, Manon, Manette, Marlène*

Mahalia (F)

Ce nom hébreu signifie «tendresse». Il a été mis à la mode par la chanteuse *Mahalia Jackson*.

Malou (G)

Cet ancien nom est une forme populaire de *Maclovius*, d'après saint Maclovius qui a donné son nom à la ville de Saint Malo. L'origine et la signification de ce nom sont obscures.

Malvy (F)

Cet ancien nom d'origine latine signifie «mauve». Il persista longtemps sous la forme de *Malvina*.

Mara (F)

Ce nom hébreu signifie: «amertume».

Marc (G)

Cet ancien nom romain est dérivé du grec *martikos* qui signifie: «consacré à Mars», le dieu de la guerre. C'est aussi un nom de saint. *Saint Marc*, un des quatre évangélistes, fut probablement martyrisé sous Trajan. Des Vénitiens emportèrent ses reliques. Tout le monde connaît la place Saint-Marc à Venise, dont il est le patron.
Variante: *Marco (it)*

Marcel (G)

Ce nom latin est le petit nom de *Marc*.
Variantes: *Marceau, Marcelin, Marcellin*

Marcelle (F)

Forme féminine de *Marcel*.
La variante *Marceline* est considérée comme moderne.
Variantes: *Céline, Marceline, Marcelline.*

Marguerite (F)

Cet ancien nom, très répandu, est d'origine grecque selon les uns et signifie: «perle», d'autres croient qu'il est d'origine babylonienne et veut dire «fille de la mer».
Variantes: *Gretel (Alsace), Magali (provenç), Maggie (écos), Margaret, Margaux, Margoue, Margot, Margy (angl), Marjorie (angl), Meg (angl), Mette (suéd), Peggy (angl), Rita (nl)*

Marianne (F)

Ce prénom est composé de *Marie* et d'*Anne*.

Maribelle (F)

Combinaison de *Marie* et de *Belle*.

Marie (F)

Ce nom est un des plus répandus. Sa signification pourtant n'est pas claire du tout et l'on trouve des dizaines d'explications. Ainsi il se pourrait que Marie soit dérivé de l'hébreu *miriam*: «goutte de mer». Au Moyen Age surtout on l'associe avec le latin *mare*: «mer». Le nom de Marie ne devint populaire que vers le XIIème siècle: on hésita à employer le nom de la mère de Jésus comme un nom de baptême. La variante *Marion* devint populaire dans la haute bourgeoisie au XVIIème siècle; elle s'introduisit à la campagne au XIXème siècle et par la suite disparut de la ville: on la tint pour un nom de paysannes. Le XXème siècle a changé cette situation.
Variantes: *Maja (suéd), Manon, Mara, Maria, Mariella, Marielle, Marietta, Mariette, Marika (ru), Mariola (it), Marjorie, Maruschka (ru), Mary (angl), Maureen (irl), Moira (irl), Molly (angl), Muire (écos), Ria (nl), Rita*

Marie-Amélie (F)

Combinaison de *Marie* et d'*Amélie*. Les

combinaisons avec *Marie* sont fréquentes. Certaines sont déjà anciennes, d'autres sont plus modernes. De plus, on trouve là un terrain fertile pour des combinaisons nouvelles ou inattendues.

Marie-Antoinette Ⓕ
Combinaison de *Marie* et d'*Antoinette*.

Marie-Ange Ⓕ
Combinaison de *Marie* et d'*Ange*.

Marie-Christine Ⓕ
Combinaison de *Marie* et de *Christine*.

Marie-Claire Ⓕ
Combinaison de *Marie* et de *Claire*.

Marie-Claude Ⓕ
Combinaison de *Marie* et de *Claude*.

Marie-Fleur Ⓕ
Combinaison de *Marie* et de *Fleur*.

Marie-France Ⓕ
Combinaison de *Marie* et de *France*.

Marie-Henriette Ⓕ
Combinaison de *Marie* et d'*Henriette*.

Marie-Jeanne Ⓕ
Combinaison de *Marie* et de *Jeanne*.

Marie-Josée Ⓕ
Combinaison de *Marie* et de *Josée*.

Marie-Louise Ⓕ
Combinaison de *Marie* et de *Louise*. Ce nom est parfois abrégé en *Malou*.
Variantes: *Malou, Marilou*

Marie-Paule Ⓕ
Combinaison de *Marie* et de *Paule*.

Marie-Rose Ⓕ
Combinaison de *Marie* et de *Rose*.

Marie-Pierre Ⓕ
Combinaison de *Marie* et de *Pierre*.

Marilyn Ⓕ
Cette combinaison anglaise de *Marie* et de *Lynn* a été mise à la mode par l'actrice *Marilyn Monroe*.

Marin Ⓖ
Cet ancien nom n'est pas très fréquent. Il signifie: «qui vient de la mer».

Marina Ⓕ
Marina est plus fréquente que son correspondant masculin *Marin*.

Variantes: *Marine, Rina*

Marinelle Ⓕ
Composition de *Marie* et de *Petronella*

Marius Ⓖ
Ce nom fut très rare au Moyen Age, un peu plus en faveur à la Renaissance et surtout à une époque plus récente, dans la région de Marseille, mis à la mode par l'œuvre de Marcel Pagnol.
Marius n'est probablement pas dérivé du latin *mare*: «mer», mais de *mas, maris*: «homme». Il signifierait donc «viril». La forme italienne *Mario* est très populaire, peut être parce qu'on le considère comme une variante masculine de *Maria*.
Variante: *Mario (it)*

Marlène Ⓕ
Composition de *Marie* et d'*Héléne*.
Variante: *Marylène*

Marlise Ⓕ
Composition de *Marie* et de *Lise*.
Variantes: *Marilise, Marlies (nl), Marylise*

Marthe Ⓕ
Ce nom est d'origine araméenne et signifie: «maîtresse de maison». Il est populaire en Provence.
Variantes: *Martha, Matty (angl)*

Martial Ⓖ
Cet ancien nom est dérivé de *Mars*, dieu de la guerre, et signifie: «de Mars, consacré à Mars».

Martin Ⓖ
Ce nom qui fut très longtemps en vogue et qui fut très populaire au Moyen Age est rare aujourd'hui à cause des emplois péjoratifs (cf. l'Ane Martin, Martin-bâton). Martin est le petit nom du nom latin *Martus*, dérivé de *Mars*, dieu de la guerre.
Variantes: *Martino (esp), Tino (esp)*

Martine Ⓕ
Forme féminine de *Martin*.

Maryvonne Ⓕ
Composition de *Marie* et d'*Yvonne*.

Mathias Ⓖ
Mathias n'est pas aussi fréquent que sa variante *Mathieu*. *Saint Mathias* était un des plus fidèles disciples de Jésus Christ. Il fut choisi pour remplacer Judas parmi les apôtres.
Variantes: *Matthias, Thijs (nl)*

Mathieu G

Ce nom vient d'une latinisation de l'hébreu *matith-yâh* qui signifie: «don de Dieu». *Saint Mathieu* était un des quatre évangélistes.

Variantes: *Matee (esp), Mats (suéd), Matteo (it), Matthew (angl), Matthieu, Matty (angl)*

Mathilde F

Ce nom d'origine germanique signifie: «puissante combattante».

Variantes: *Mathilda, Maud, Métilde, Patty (angl), Tilly (angl), Thilda*

Mathurin G

Cet ancien nom, peu fréquent aujourd'hui, signifie: «homme muet».

Maur G

Ce nom fut fréquent jusqu'au XVIième siècle, ensuite il fut discrédité puisqu'il devint homonyme de mort (on cessa de prononcer le *t* au XVIième siècle). Il signifie «Maure, habitant de Mauritanie».

Maurice G

Ce nom est aussi dérivé du latin *Maurus*: «Maure, habitant de Mauritanie».

Variantes: *Maurin, Moritz (all), Morris (angl)*

Mauricette F

Cette forme féminine de *Maurice* est peu employée.

Variante: *Mauritha*

Maxime G F

Ce nom est dérivé du latin *maximus*: «le plus grand». Maximus fut d'abord un titre d'honneur pour les chefs d'armée qui obtinrent de grands succès. Ensuite, il devint un prénom de saints. Maxime et ses variantes sont rares aujourd'hui.

Variantes: *Maxant, Maxence, Maximin*

Maximilien G

Ce nom est probablement une composition de *Maximus* et d'*Emilius*. Maximilien était un nom répandu en Autriche et en Allemagne où il y avait beaucoup d'empereurs de ce nom. En France, on le rencontre en Flandre et en Alsace Lorraine. Dans ces régions l'abréviation *Max* est encore populaire.

La forme féminine est *Maximilienne*.

Variante: *Max*

Médard G

Ce nom aujourd'hui peu usité fut très populaire au Moyen Age. *Médard* est dérivé d'une forme latinisée du germanique: *mada*: «lieu de rencontre» et *hard*: «fort».

Médéric G

Ce nom rare aujourd'hui est d'origine germanique et signifie: «de grande force».

Variante: *Merry*

Mélanie F

Ce nom est dérivé du grec *melas, melanos* qui veut dire «noir».

Variante: *Melly (angl)*

Melchior G

Ce nom est probablement d'origine hébraïque et signifie: «le roi (Dieu) est la lumière». *Melchior* était un des trois Rois mages qui apportèrent des présents à l'enfant Jésus à l'Epiphanie.

Mélissa F

Ce nom est dérivé du grec et signifie: «abeille». Dans la mythologie grecque, *Mélissa* était une nymphe. Le nom fut repris au XVIième siècle par les poètes italiens.

Mélisande F

Ce nom d'origine germanique signifie: «forte au combat». *Mélisande* était la fille de Charlemagne.

Variante: *Mélisent*

Mercédès F

Ce nom vient de l'espagnol *María de las Mercedes* qui veut dire: 'Marie des remerciements». Le fabricant d'automobile Benz choisit comme nom de marque le prénom de sa fille Mercédès.

Merlin G

Merlin est dérivé du gallois *Myrddhin*: l'enchanteur du cycle breton. Ce nom, qui signifie «montagne près de la mer», est rare. La forme féminine est *Merlina*.

Michel G

Ce nom très répandu est d'origine hébraïque et signifie: «qui est comme Dieu, semblable à Dieu». *Saint Michel* est un des archanges et le patron de l'Eglise catholique.

Variantes: *Michael (angl), Mick (angl), Miguel (esp), Mikhaïl (ru), Misha (ru)*

Michelle F

Forme féminine de *Michel*.

Variantes: *Michèle, Micheline (souvent abrégée en Miche)*

Mireille F

Mistral, le célèbre poète provençal, trouva ce nom qui paraissait signifier «merveille» dans une légende. Sa filleule fut la première à porter ce nom. Le prêtre qui devait baptiser l'enfant souleva des objections, à quoi Mistral répondit que Mirèio était la

forme provençale de *Myriam*. C'était faux, mais incontrôlable pour le prêtre, qui accepta le nom.
Variante: *Mirèio (prov)*

Miriam F
Miriam est la forme israëlite de *Marie*. On l'emploie aussi en dehors des familles juives.

Mirèse F
Composition de *Marie* et de *Thérèse*

Modeste G F
Cet ancien nom d'origine latine, qui signifie: «mesuré, modéré», est peu usité aujourd'hui

Monique F
La signification de ce nom assez fréquent est obscure. Il est probablement d'origine carthaginoise.
Variante: *Miquette*

Murielle F
Ce nom d'origine celtique signifie: «luisante comme la mer».

Mylène F
Composition de *Marie* et de *Madeleine* ou d'*Hélène*.
Variante: *Milène*

Myrtille F
Autre nom de plante qui a donné un prénom féminin. En France, *la myrtille* était le symbole de l'amour, aussi rencontre-t-on ce nom surtout dans la poésie.

Nadia F
Ce nom d'origine russe signifie «espérance». On le rencontre souvent en France et en Angleterre.
Variantes: *Nadège (vieux)*, *Nadine*

Nancy F
Nancy est le petit nom anglais d'*Anne*, mais il est souvent employé de façon autonome.

36

Nanette F
Nanette est un petit nom français d'*Anne* mais il peut être considéré comme autonome.

Napoléon G
Napoléon Bonaparte a rendu célèbre ce nom, qui existe depuis le Moyen Age mais dont l'origine est obscure. Il y aurait eu un *saint Napoléon*, fêté le 15 août, ce qui est en effet le jour de la naissance de Bonaparte.

Narcisse G
Ce nom de baptême moderne a été repris à l'Antiquité; *Narcisse* était un personnage de la mythologie grecque qui tomba amoureux de sa propre image qu'il aperçut dans l'eau d'une fontaine. A l'endroit où il mourut poussa une fleur qui porte son nom.

Nathalie F
Ce nom est dérivé du latin *(dies)natalis* qui signifie «jour de la naissance (de Christ)», c.-à-d. le 25 décembre (cf Noël). Comme *sainte Nathalie* fut honorée dans l'église grecque, son nom se répandit en Europe orientale, surtout en Russie. La variante russe, *Natasja*, a peut-être trouvé son introduction en Europe occidentale avec le roman *Guerre et Paix* de Tolstoi.
Variantes: *Natacha, Natalie, Natasja*

Nathan G
Ce nom hébreu signifie: «il a donné, don».

Nathanaël G
Ce nom hébreu signifie: «Dieu a donné». *Nathanaël* était le premier disciple du Christ.

Nazaire G
Ce nom signifie: «homme de Nazareth».

Nelly F
Nelly est une abréviation du nom latin *Cornelia*, dont la signification n'est pas claire.

Nestor G
Ce nom d'origine grecque signifie: «celui qui revient (toujours)». *Nestor* était le roi de Pylos, le plus âgé des rois grecs au moment où la Grèce fit la guerre à Troie. Il était estimé pour sa grande sagesse.

Nicodème G
Cet ancien nom signifie, comme Nicolas, «vainqueur avec le (ou du) peuple».

Nicolas G
Ce nom très fréquent d'origine grecque signifie «vainqueur avec le (ou du) peuple». C'est l'un des saints les plus populaires de

la fin du Moyen Age. *Saint Nicolas* est le patron des écoliers dans notre pays et le saint patron de la Russie.
Variantes: *Claus (all), Colas, Colin, Nick (angl), Nico, Nicolaï (ru), Nikita (ru)*

Nicole Ⓕ
Forme féminine de *Nicolas.*
Variantes: *Colette, Cosette, Nicola, Nicoletta, Nicolette*

Nina Ⓕ
Nina peut être considéré comme le petit nom d'*Anne*, à côté de *Ninette, Nanine, Ninon,* d'*Antonine,* de *Caroline,* ... On rencontre cette forme surtout en Russie et en Allemagne.

Ninon Ⓕ
Ninon est un petit nom français d'*Anne,* bien qu'il existe une sainte *Ninon* dont le nom pourrait être dérivé du latin *nonna:* «religieuse».

Noé Ⓖ
Cet ancien nom d'origine hébraïque signifie: «repos, consolation». *Noé* était le seul juste que Dieu sauva du déluge. Il construisit un énorme bateau où il s'embarqua avec les siens et un couple de tous les animaux. Sa mission était de créer une nouvelle humanité.

Noël Ⓖ
Ce nom français aujourd'hui plus rare, signifie: «né le jour de Noël». A l'origine, on le réservait aux enfants nés le 25 décembre.

Noëlle Ⓕ
Forme féminine de *Noël.*
Variante: *Noëlla*

Noémie Ⓕ
Ce nom d'origine hébraïque signifie: «grâce». On le rencontre encore fréquemment dans les familles juives.
Variante: *Naomi*

Nora Ⓕ
Bien que ce soit une abréviation d'Eléonore, il existe de façon autonome depuis le Moyen Age.

Norbert Ⓖ
Ce nom d'origine germanique pourrait signifier: «homme illustre du Nord» ou «illustre pour sa force». *Saint Norbert* prêcha dans le Hainaut et le Brabant et fonda en 1121 l'ordre des Norbertins.

Norma Ⓕ
L'origine de ce nom n'est pas claire. Il pourrait s'agir d'une forme féminine de *Norman* ou une dérivation du latin. Dans le deuxième cas, il signifierait «norme, mesure».

Norman Ⓖ
Cet ancien nom anglais d'origine germanique pourrait signifier «homme fort» ou «homme du Nord».

Obert Ⓖ
Cet ancien nom d'origine germanique signifie: «célèbre par son patrimoine, sa richesse».

Octave Ⓖ
Ce nom d'origine latine signifie: «le huitième». Les Romains donnèrent souvent un numéro à leurs enfants: *Secundus, Tertius,* etc. *Octave* est revenu à la mode comme prénom.
Variante: *Octavien*

Octavie Ⓕ
Forme féminine d'*Octave,* également reprise au féminin.
Variantes: *Octavia, Octavienne*

Octobre Ⓖ
Nom d'un enfant né en octobre. En anglais, on trouve beaucoup de noms de mois qui sont aussi des prénoms mais ce sont généralement des filles qui s'appellent ainsi (p.ex. *January, April, May, June*).

Odelin Ⓖ
C'est une abréviation ou un petit nom d'un nom germanique commençant par ôd: «patrimoine, richesse». Ces noms étaient très populaires au Moyen Age.
Variantes: *Oddo (corse), Odin, Odillon, Odilon, Odon, Ody, Othello (it), Othon, Otto (all), Otton, Udo (all)*

Odile Ⓕ
Forme féminine d'*Odelin.*

Oger G

Ce nom d'origine germanique signifie: «lance puissante». *Ogier* (var.) était un pair de Charlemagne dans les romans francs, ce qui a contribué à rendre ce nom populaire au Moyen Age.

Variantes: *Oge, Ogier*

Olaf G

Ce nom d'origine scandinave signifie: «fils des ancêtres». *Saint Olaf II* commença son existence comme Viking mais se convertit et créa la royauté de Norvège. Il mit fin aux pillages des Vikings, ce qui ne fut pas apprécié par tous et il dut fuir, chassé par le roi danois Knud le Grand. Lorsqu'il tenta de reconquérir son royaume, il fut tué. Il devint le saint patron de la Norvège. Ce nom, aujourd'hui encore très populaire dans les pays scandinaves, s'est introduit chez nous du temps des Vikings.

Variantes: *Olav, Olov*

Olga F

Ce nom russe d'origine scandinave (Helga) signifie «l'heureuse». Il s'est probablement répandu sous l'influence de la littérature russe.

Olivia F

Le nom est dérivé du latin *oliva*: «olive», le symbole de la paix. L'olivier, jadis d'une grande importance économique à cause de l'huile qu'il produit, est un arbre qui ne pousse que lentement; c'était donc un signe de paix quand les oliviers poussaient, car en temps de guerre, les soldats assiégeants détruisaient ces arbres afin de porter un coup à l'économie de l'ennemi.

Variante: *Olive*

Olivier G

Ce nom pourrait être déduit du latin *olivarius*: «olivier» (cf. Olivia) ou pourrait venir d'*Olaf*. *Olivier* était le fidèle compagnon de Roland dans *la Chanson de Roland*, ce qui fit beaucoup pour la popularité de ce prénom.

Aujourd'hui, il est surtout populaire en France et en Angleterre.

Variantes: *Oliver (angl et occit), Olivieri (corse et it)*

Olympe F

Cet ancien nom d'origine grecque signifie «qui vient de l'Olympe, divine». L'Olympe est le nom d'une montagne de Thessalie qui désignait en mythologie le séjour des dieux.

Variantes: *Olimpe, Olympia*

Omar G

Ce nom d'origine germanique, très rare aujourd'hui, signifie: «célèbre par son patrimoine, sa richesse».

Ondine F

C'est Fouqué qui a employé le premier en 1811 *Ondine* comme prénom dans le conte de fée du même nom. Hoffman et Lortzing l'ont repris ensuite dans leurs opéras. *Une ondine* était dans la mythologie un être qui habitait au fond des eaux et qui attirait par ses séductions les pêcheurs et les voyageurs pour les entraîner dans son palais de cristal.

Onésime G

Ce nom d'origine grecque signifie: «bienfaisant, utile».

Opportune F

Ce nom d'origine latine signifie: «propice, favorable».

Oscar G

Ce nom d'origine germanique signifie: «(le combattant à la) lance (sous la protection) des dieux». Napoléon baptisa son filleul Oscar et ainsi le nom parvint en Suède où il devint un nom de roi.

Variante: *Ossian (gall)*

Osmond G

Ce nom d'origine germanique signifie: «celui qui est protégé par les dieux».

Variante: *Omond*

Oswald G

Ce nom d'origine germanique signifie: «celui qui règne grâce aux dieux». *Saint Oswald* était roi de Northumbrie; des moines écossais répandirent son culte surtout en Allemagne.

Oustry G

Cet ancien nom d'origine germanique signifie: «puissant d'Orient».

Variante: *Oustric*

Ovide G

Ovide est considéré comme un prénom moderne. *Publius Ovidius Maro*, le poète romain, l'a rendu célèbre. Il signifie probablement «(celui qui a les caractéristiques) d'un mouton».

Patrick G

Ce nom d'origine latine signifie: «noble, patricien». *Saint Patrick*, fils d'un décurion romain, fut enlevé très jeune encore par des pirates irlandaises. Il réussit à s'enfuir en France où il devint prêtre. Le pape l'envoya en Irlande pour évangéliser ce pays, ce qu'il fit avec succès. Saint Patrick est le patron de l'Irlande.
Variantes: *Paddy (angl), Pat (angl), Patric*

Paul G

Ce nom, toujours en vogue, est d'origine latine et signifie: «faible, petit, peu d'apparence». *Saint Paul* était né dans une famille juive. Il était juif mais aussi citoyen romain et pharisien. Il persécuta même des chrétiens. Mais un jour, il vit le Christ et se convertit. Il se consacra à l'évangélisation des non-juifs. Il fut plusieurs fois emprisonné mais chaque fois libéré dans sa qualité de citoyen romain. Il continua à prêcher. Sous Néron cependant la situation se dégrada et il fut décapité.
Variantes: *Pablo (esp), Paolino (it), Paolo (it), Paulin, Paulus (all), Pavel (ru), Pol (nl)*

Paloma F

Ce nom espagnol signifie: «colombe».

Pamela F

Ce nom anglais d'origine grecque signifie: «toute douceur». Le nom a été inventé par sir Philip Sidney vers 1580 pour son roman pastoral *Arcadia*. Le roman de Richardson *Pamela or Virtue Rewarded* (1740) a mis le nom à la mode. Aujourd'hui encore, il est assez fréquent.

Pancrace G

Ce nom d'origine grecque signifie «qui surmonte tout, tout-puissant».

Pandora F

Ce nom d'origine grecque signifie «celle qui donne tout», c.-à-d. la terre.
Pandora était la première femme dans la mythologie grecque. Afin de venger Prométhée qui avait volé le feu du ciel, Hèphaistos créa de terre et d'eau et l'offrit au frère de Prométhée, Epiméthée. Il se dit que par son intelligence et sa beauté, elle porterait la misère parmi les hommes. Elle apporta, en effet, une boîte contenant toutes les catastrophes. Quand elle ouvrit cette boîte par curiosité, celles-ci s'échappèrent, seul l'espoir resta.

Pascal G

Ce nom signifie «né le jour de Pâques». Cinq saints de ce nom l'ont rendu populaire surtout dans les régions francophones.
Variantes: *Pasquale (it), Pasqualino (it), Pasque (assez rare)*

Pascale F

Forme féminine de *Pascal*.
Variantes: *Pascaline, Pascalle*

Patricia F

Forme féminine de *Patrick*.
Variante: *Patty (angl)*

Paule F

Forme féminine de *Paul*.
Variantes: *Paola (it), Paolina (it), Paula, Paulette, Pauline, Pavla (ru)*

Pélagie F

Ce nom d'origine grecque signifie: «appartenant à la mer».

Pénélope F

Ce nom est dérivé du grec *penelops*, le nom d'une sorte de canard. *Pénélope* était dans la mythologie l'épouse d'Ulysse, de qui elle attendit patiemment le retour pendant 20 ans. Tout ce temps-là, elle tissait. Elle avait promis aux prétendants qui se pressaient autour d'elle de leur céder ce jour où elle aurait fini de tisser sa robe. Afin de ne jamais y parvenir, elle défaisait la nuit ce qu'elle avait tissé le jour. Elle est ainsi devenue le modèle de la femme fidèle.
Variante: *Penny (angl)*

Pépin G

Cet ancien nom d'origine germanique signifie: «qui tremble». Il a dû son succès aux fondateurs de la monarchie carolingienne, *Pépin d'Herstal* et *Pépin le Bref*.
Variantes: *Pépi, Pépy*

Perceval G

Perceval le Gallois est le nom d'un héros de Chrétien de Troies. C'est le chevalier qui personnifie les vertus chrétiennes. Le nom signifie: «perce-vallée».

Variante: *Parcival*

Percy G

Ce nom anglais fut à l'origine un nom de famille: *Guillaume de Percy*, compagnon de Guillaume le Conquérant. Des familles apparentées prirent ce nom comme prénom, e.a. *Percy Shelley*.

Perla F

Ce nom italien qui signifie «perle» est fréquent dans des familles juives, surtout d'origine italienne.
Variante: *Pearl (angl)*

Pétronille F

Cet ancien nom est probablement dérivé de l'étrusque *petro* qui signifie: «paysan endurci». *Sainte Pétronille* devint la patronne de la France. Son nom se répandit vite dans les familles aristocratiques.
Variantes: *Nellie, Pernelle, Pernille, Perronnelle*

Phileas G

Ce nom d'origine grecque signifie: «montrer son amitié».
Variante: *Philemon*

Philibert G

Ce nom d'origine germanique signifie: «très brillant». Les Normands le portèrent en Angleterre.

Philippe G

Cet ancien nom grec signifie: «amateur de chevaux». Anne de Russie introduisit ce nom en France au IXième siècle. Ce nom, populaire à la cour, apparaissait dans presque chaque génération. Aujourd'hui encore, il est très fréquent.
Variantes: *Felipe (esp), Lippo (it), Pippo (it)*

Philippine F

Forme féminine de *Philippe*.
Variantes: *Felipa (esp), Philippa, Pippa (it)*

Philomène F

Ce nom assez moderne est d'origine grecque. Il signifie «la fiancée aimée».

Pie G

Ce nom d'origine latine signifie «pieux». Plusieurs papes l'ont porté.

Pierre G

Ce nom est dérivé du latin *petrus* qui est une traduction approximative de l'hébreu *héphas*: «pierre». *Saint Pierre*, chef des douze apôtres du Christ, s'appela à l'origine Simon. Le Christ le rebaptisa Pierre sur cette fameuse phrase: «Tu es Pierre et sur cette pierre je bâtirai mon église». Pierre annonça le premier la Résurrection aux Juifs. Fuyant la persécution romaine, il prêcha à Jerusalem et à Antioche. Puis, il alla à Rome où il fut crucifié. La basilique du Vatican est bâtie sur son tombeau.
Variantes: *Pedro (esp), Peer (scand), Peréz (esp), Perry (angl), Pierrot, Peter (all), Pieter (nl), Pietro (esp), Pjotr (ru)*

Pierrette F

Cette forme féminine de *Pierre* est moins populaire que sa variante allemande *Pétra*.
Variantes: *Péronne, Petina, Petroeshka (ru), Petula (angl), Pieta (it)*

Placide G

Ce nom d'origine latine signifie: «calme, doux de caractère».
Variante: *Placido (esp)*

Polycarpe G

Ce nom d'origine grecque signifie: «fertile».

Polidore G

Ce nom d'origine grecque signifie: «généreux».

Pomme F

Pomme est un nom français littéraire moderne.

Pons G

Ce nom d'origine latine pourrait signifier: «habitant de Pontia», une île devant la Côte de Latium. Il serait alors dérivé d'un patronyme romain.
Variante: *Ponce*

Primerose F

Ce nom d'origine latine signifie: «première rose».

Priscilla F

Ce nom est dérivé du latin *prisca* qui signifie: «vieille, vénérable».

Prosperine F

Prosperine était une divinité des Enfers dans la religion romaine. A l'origine, elle était une déesse agreste.

Prosper G

Ce nom d'origine latine signifie: «heureux, rendant heureux». Il est fréquent en Belgique et en France.

Prudence F

Prudence est un nom d'origine latine et signifie: «prévoyante». Il est peu fréquent en France mais en Angleterre on l'emploie encore. Il a existé une forme masculine *Prudent* correspondant à l'adjectif.

Pulcherie (F)
Ce nom d'origine latine signifie: «belle».

Quentin (G)
Ce nom d'origine latine signifie: «le cinquième». *Saint Quentin* était un missionnaire venu d'Italie pour évangéliser la région d'Amiens. Rictiovaire le fit prisonnier et le tortura horriblement à la cité de Vermand, l'actuel Saint Quentin. Il fut honoré au Moyen Age en France et en Belgique. En Angleterre, le nom est devenu populaire par l'œuvre de Walter Scott *Quentin Durward*. C'est un nom plutôt rare aujourd'hui.

Quirin (G)
Cet ancien nom d'origine latine pourrait signifier: «celui qui brandit la lance». *Quirin* était à l'origine le dieu de la guerre des Sabins.
La forme féminine est *Quérine*.
Variante: *Quirien*

Rachel (F)
Ce nom d'origine hébraïque signifie: «brebis». A l'origine, on le trouvait surtout dans les familles juives mais maintenant il est plus répandu. *Rachel* était la seconde épouse de Jacob. Il dut travailler pendant 14 ans avant d'obtenir sa main en mariage.

Variante: *Raïssa (ru)*

Radegonde (F)
Ce nom d'origine germanique signifie à peu près «conseillère dans le combat».

Ragobert (G)
Cet ancien nom germanique signifie: «conseiller illustre».

Ragon (G)
Cet ancien nom d'origine germanique signifie: «conseiller à l'armée».

Rimbaud (G)
Cet ancien nom d'origine germanique signifie: «bon, courageux conseiller».

Rainfray (G)
Cet ancien nom germanique signifie: «conseiller protecteur».

Rainier (G)
Ce nom d'origine germanique signifie: «conseiller au combat». Plusieurs princes monégasques ont porté ce nom.
La forme féminine est *Reyniers*.
Variantes: *Régnier, Reinier, Renière*

Raoul (G)
Ce nom signifie: «loup illustre». Il est populaire dans toute l'Europe et surtout en Allemagne.
Variantes: *Ralph (angl), Rodolphe, Rudi (nl), Rudolf, Rolf (angl), Rolin, Roul*

Raphaël (G)
Ce nom d'origine hébraïque signifie: «Dieu guérit». *Raphaël* est l'archange biblique qui apparaît comme le «bon» ange. En Italie, Raphaël est vite devenu un prénom. Pensons à Rafaëllo Sanzio, mieux connu sous le nom de Raphaël, le célèbre peintre. Jadis le prénom était plus important que le patronyme.
La forme féminine est *Raphaëlla*.
Variantes: *Raf (nl), Raphel*

Raymond (G)
Ce nom d'origine germanique signifie «protecteur fort». Il est devenu populaire en Europe méridionale sous l'influence de quelques saints et de sept comtes de Toulouse.
Variantes: *Raimond, Ramón (esp), Rémond*

Raymonde (F)
Forme féminine de *Raymond*.
Variantes: *Ramona (esp), Raymone*

Rebecca (F)
La signification de ce nom hébreu n'est pas

claire. A l'origine, on le rencontrait surtout dans des familles juives, mais aujourd'hui il est plus répandu.

Régine Ⓕ
Ce nom moderne est dérivé du latin *regina* «reine» mais à l'origine c'était un nom germanique dont le radical était *regin*: «conseil».
Variantes: *Gina, Regina (angl), Reine*

Régis Ⓖ
Ce nom est dérivé du latin *rex, regis*: ce qui veut dire «roi». A l'origine c'était le patronyme de *Saint Jean François Régis*, apôtre de Cévennes. Ce saint mena une vie austère pour évangéliser les paysans du Velais et du Vivarais.

Reinhilde Ⓕ
Ce nom d'origine germanique signifie: «conseillère au combat».
Variantes: *Ragnhild (scand), Reinilde, Renilde*

Remy Ⓖ
Ce nom d'origine latine signifie: «celui qui manie l'aviron». *Saint Remy* baptisa Clovis à Reims en 498 après la victoire du roi sur les Alamans à Tolbiac. Son nom était populaire en France et en Allemagne.
Variante: *Remi*

Renaud Ⓖ
Ce nom signifie: «celui qui règne avec conseil» c.-à-d. «le bon chef». La légende des *Quatre fils Aymon* a rendu ce nom populaire au Moyen Age.
Variantes: *Rainoldo (it), Reg (and), Reggy (angl), Reginald, Rignault, Reinout, Renald (all), Renault, Rinaldo (it)*

René Ⓖ
Ce nom, toujours en faveur, est déjà ancien. Il signifie: «né une seconde fois, qui a reçu une nouvelle vie». On parlait d'une seconde vie par référence au baptême.
Variantes: *Renat, Renato (it)*

Renée Ⓕ
Forme féminine de *René*.
Variantes: *Renata, Renelle*

Rianne Ⓕ
Ce prénom moderne est une combinaison d'*Henriette* et d'*Anne*.

Ribert Ⓖ
Cet ancien nom d'origine germanique signifie: «puissant et illustre».

Ricaud Ⓖ
Cet ancien nom d'origine germanique signifie: «qui règne avec puissance».

Richard Ⓖ
Ce nom d'origine germanique signifie: «puissant protecteur». Les rois normands introduisirent le nom en Angleterre où il devint très populaire. Le roi d'Angleterre, *Richard Ier Cœur de Lion*, eut une telle renommée que ce nom se répandit en Europe continentale. Il est certain que plus tard, le roman *Ivanhoe* (1820) de Walter Scott a contribué à cette popularité.
Variantes: *Dick (angl), Dicky (angl), Ricardo (esp), Richie (angl), Rik (nl)*

Richmond Ⓖ
Cet ancien nom d'origine germanique signifie: «puissant protecteur».

Ricommard Ⓖ
Cet ancien nom d'origine germanique signifie: «puissant et célèbre».
Variante: *Rigomer*

Rigobert Ⓖ
Cet ancien nom d'origine germanique signifie: «puissant et illustre».

Rita Ⓕ
Rita est un petit nom de *Marguerite*. Sainte *Rita* épousa un homme cruel. Lorsque son mari fut assassiné, elle pria que ses fils mourussent si bien qu'ils ne dussent pas venger leur père.

Robert Ⓖ
Ce nom d'origine germanique signifie: «brillant par la gloire». Il a toujours été populaire en Europe; les Normands l'introduisirent en Angleterre où il devint un des noms les plus en vogue. D'Angleterre, il retourna en Europe continentale où plusieurs rois, ducs, empereurs et saints le portèrent. Le nom était particulièrement en faveur en Allemagne.
Variantes: *Bob (angl), Bobby (angl), Rob, Robby (angl), Roberto (it), Robin, Robrecht (all), Rupert (all)*

Roberte Ⓕ
Forme féminine de *Robert*.
Variantes: *Roberta, Robine, Ruby (angl), Rubina (it)*

Roch Ⓖ
Cet ancien nom d'origine germanique signifierait «cri de guerre» ou «repos». *Saint Roch*, en pélérinage à Rome, soigna plusieurs pestiférés. En retournant en 1320 à Montpellier, il attrapa la maladie lui-

même. Il se retira pour mourir mais chaque jour un chien lui apporta du pain. La présence de cet animal fidèle guérit saint Roch.
Variantes: *Rocco (it), Roque (esp)*

Rodin G

Rodin est un petit nom des noms germaniques commençant par *roe*: «célèbre, glorieux». Le patronyme d'*Auguste Rodin*, le fameux sculpteur, a contribué à rendre ce nom célèbre.

Rodrigue G

Ce nom d'origine germanique signifie: «puissant par la gloire». Il est curieux de voir que ce nom germanique s'est répandu en Espagne d'abord; le roi gothique *Roderik* fut tué dans la bataille de Jerez de la Frontera. Plusieurs légendes naquirent autour de sa personne qui firent de *Roderik* un nom célèbre. Le personnage du Cid, *don Rodrigue de Bivar*, mit le nom à la mode dans les autres pays européens.
Variantes: *Roddy (angl), Roderick (all), Rodrigo (esp), Rodriguez (esp), Roroch (all), Rurik (ru), Ruy (esp)*

Roger G

Ce nom d'origine germanique signifie: «(combattant) glorieux (avec) la lance».
Variantes: *Rod (angl), Rodger (angl), Rogier, Rutger (nl)*

Roland G

Ce nom d'origine germanique signifie: «d'un pays glorieux». *La chanson de Roland* a mis ce nom à la mode. *Roland*, le neveu de Charlemagne, mourut en combattant faute d'avoir à temps sonné l'olifant pour appeler son oncle à son secours.
Variante: *Orlando (it)*

Rolande F

Forme féminine de *Roland*.
Variante: *Rola*

Romain G

Ce nom d'origine latine signifie: «citoyen de Rome». Plusieurs saints français ont porté ce nom, ce qui explique sa popularité dans les régions francophones.
Variantes: *Romano (it), Roman (tchech), Romeo (it)*

Romaine F

Forme féminine de *Romain*.
Variante: *Romana (it)*

Rombaut G

Ce nom d'origine germanique signifie: «glorieux, audacieux».

Variante: *Rombout*

Romuald G

Ce nom d'origine germanique signifie: «chef glorieux».

Romy F

Romy est le petit nom allemand de *Rosemarie*. L'actrice *Romy Schneider* l'a mis à la mode.

Ronald G

Ce nom d'origine écossaise a la même signification que *Renaud*. Il s'est formé par le biais de la forme norvégienne *Ragnvald*. Un petit nom fréquent de *Ronald* est *Ronny*.
Variante: *Ronny*

Ronan G

La signification de ce nom breton est inconnue.
Variante: *Renan*

Rosanne F

Combinaison de *Rose* et d'*Anne*.

Rose F

Ce nom qui rappelle la fleur serait à l'origine un petit nom des noms germaniques commençant par *ro(d)*: «glorieux».
Variantes: *Rosa, Rosalie, Roselle, Rosette, Rosine, Rosita (esp), Rosy (all)*

Rosaline F

Ce nom d'origine germanique s'est d'abord répandu en Espagne, puis dans l'Europe entière.
Variantes: *Rosalinde, Roselyne*

Rosemonde F

Ce nom d'origine germanique signifie: «glorieuse protectrice».

Rosemarie F

On peut considérer *Rosemarie* comme une combinaison de *Rose* et de *Marie*. Mais il peut aussi être dérivé du latin *ros marinus*: «rosée de la mer» ou «romarin».

Roxanne F

Ce nom d'origine perse signifie: «aurore». *Roxanne* était la prisonnière d'Alexandre le Grand. Il l'épousa pour sa grande beauté. La littérature a mis ce nom à la mode.

Roy G

Ce nom d'origine galloise signifie: «rouge» et est souvent associé avec le français *roi*.

Rufin G

Cet ancien nom d'origine latine signifie

«roux». C'était un patronyme chez les romains.

Ruth Ⓕ
Ce nom hébreu signifie: «amie».

Ryan Ⓖ
Ce nom était à l'origine un patronyme irlandais. Depuis les années '50 il est accepté comme prénom.

Sabine Ⓕ
A l'origine Sabine était un patronyme romain qui signifierait: «appartenant à la tribu des Sabins». Romulus, fondateur et roi de Rome, enleva les femmes de cette tribu, ce qui provoqua une guerre.
Variantes: Sabina, Savine

Sabrina Ⓕ
A l'origine Sabrina était le nom latin de la rivière anglaise Severn. La reine Gwendolyne y fit jeter Sabîe, la fille de sa rivale. Sabîe devint ainsi une nymphe. Ce nom est populaire depuis les années '70.

Sacha Ⓖ
Sacha était à l'origine un petit nom russe d'Alexandre. Le nom s'est répandu d'abord en France, probablement sous l'influence de Sacha Guitry, auteur de théâtre populaire entre les deux guerres qui était né à Saint-Petersbourg en 1885.

Saïd Ⓖ
Saïd était à l'origine un titre d'honneur arabe qui signifie: «porte-parole». Il était réservé aux enfants d'Hoessein, le petit-fils de Mohammed.
La forme féminine est Saïdja.

Samson Ⓖ
Ce nom d'origine hébraïque signifie: «petit soleil, fils de la déesse solaire». Samson était célèbre par sa chevelure où résidait sa force.

Salabert Ⓖ
Cet ancien nom d'origine germanique signifie: «salle illustre».

44

Salomé Ⓕ
Ce nom d'origine hébraïque signifie: «paix».
Variante: Selma

Salomon Ⓖ
Cet ancien nom hébreu signifie: «le pacifique». Salomon était un roi juif, célèbre pour sa grande sagesse.
Variantes: Salmon, Soloman

Samantha Ⓕ
Ce nom moderne d'origine araméenne signifie: «celle qui écoute». Il est populaire surtout dans les pays anglophones.

Samirah Ⓕ
Ce nom arabe signifie: «diamant, épine».

Samuel Ⓖ
Ce nom d'origine hébraïque signifie: «Dieu l'a entendu». Samuel était le premier prophète d'Israël. Le nom connaît une très grande popularité aux Etats-Unis, aussi appelés Uncle Sam.
Variantes: Sam (angl), Sammy (angl)

Sancho Ⓖ
Ce nom espagnol signifie: «né le jour d'un saint».
Variantes: Santi (corse), Sanz (gascon)

Sara Ⓕ
Ce nom hébreu signifie: «princesse». Sarah était l'épouse d'Abraham. A quatre-vingt-dix ans, elle accoucha miraculeusement d'un fils.
Variantes: Saddie (E.U.), Sally (angl), Zara (ru)

Saskia Ⓕ
Ce nom frison d'origine germanique signifie: «fille saxonne».

Sernin Ⓖ
Cet ancien nom d'origine latine signifie «qui appartient à Saturne». Saturne était le dieu romain des semailles et de la culture de la vigne.
Variante: Saturnin

Saul Ⓖ
Ce nom hébreu signifie: «le désiré, celui pour qui l'on a prié». Saul était le premier roi juif.

Sauvin Ⓖ
Cet ancien nom d'origine latine signifie «sauvé».

Scarlett Ⓕ
Ce nom anglais qui signifie «écarlate» a été

mis à la mode par le célèbre roman de Margaret Mitchell *Autant en emporte le vent*.

Scholastique Ⓕ
Ce nom médiéval signifie: «suivante».

Sébastien Ⓖ
Ce nom d'origine grecque signifie: «honoré, respectable».
La forme féminine est *Sébastienne*.
Variantes: *Bastian, Bastien, Sébastian*

Seguin Ⓕ
Cet ancien nom d'origine germanique signifie: «ami victorieux».

Selma Ⓕ
L'origine de ce nom n'est pas claire; pour les uns, Selma est une variante de *Salomé*; pour les autres c'est une abréviation d'*Anselme*.

Semeut Ⓕ
Cet ancien nom d'origine germanique signifie: «combattante victorieuse».

Senard Ⓖ
Cet ancien nom d'origine germanique signifie: «vieillard vigoureux».

Séraphin Ⓖ
Ce nom d'origine germanique signifie: «noble, flamboyant».
La forme féminine est *Séraphine*.

Serena Ⓕ
Ce nom d'origine latine signifie: «sereine, claire, gentille».

Serge Ⓖ
Ce nom pourrait être d'origine latine et signifierait: «garde, serviteur, serf». *Saint serge*, très honoré dans les pays slaves, a rendu ce nom populaire en Europe orientale, mais on le rencontre aussi fréquemment en Belgique et en France.
La forme féminine est *Sergine*.
Variante: *Sergeï (ru)*

Servais Ⓖ
Cet ancien nom d'origine latine signifie «appartenant aux préservés». On rencontrait souvent ce nom dans la région de Tongres dont *saint Servais* a été l'évêque.

Séverin Ⓖ
Cet ancien nom d'origine latine signifie «sévère, austère».
La forme féminine est *Séverine*.
Variantes: *Sévère, Sören (da), Surin (gasog)*

Sharon Ⓕ
Ce nom hébreu signifie: «plaine». Il est en vogue depuis les années 60.

Sheila Ⓕ
Sheila est une variante irlandaise de *Cécile*, mise à la mode par la chanteuse française du même nom.

Shirley Ⓕ
Shirley fut à l'origine un nom géographique. Dans le Yorkshire, il devint un patronyme, puis un prénom masculin. Charlotte Brontë en fit un prénom féminin dans son roman *Shirley*. Mais ce n'est qu'au début des années 30 qu'il est devenu réellement populaire sous l'influence de *Shirley Temple*.

Sibaud Ⓖ
Cet ancien nom d'origine germanique signifie: «victoire illustre».

Sibert Ⓖ
Cet ancien nom d'origine germanique signifie: «brillant par la victoire».
Variante: *Sébert*

Sibylle Ⓕ
La signification de ce nom grec n'est pas claire. Dans l'Antiquité, les sibylles étaient des prêtresses qui faisaient connaître l'oracle.

Sidoine Ⓖ
Ce nom signifie: «originaire de Sidon», une ville phénicienne.
La forme féminine est *Sidonie*.
Variante: *Saëns*

Siegfried Ⓖ
Ce nom allemand d'origine germanique signifie: «protecteur de la paix». Le héros wagnérien *Siegfried* a remis le nom à la mode.

Sigismond Ⓖ
Cet ancien nom germanique signifie: «protecteur de la victoire».
La forme féminine est *Sigismonde*.

Sigrid Ⓖ
Ce nom scandinave signifie probablement «belle victoire». Le nom est devenu célèbre quand *Sigrid Undset* a reçu le prix Nobel de la littérature en 1928 .

Simon Ⓖ
Simon est dérivé de l'hébreu *shimmon* qui veut dire: «celui qui est exaucé». *Simon le Zélote* était un des douze apôtres du Christ.
Variantes: *Sigmund (all), Siméon*

Simone (F)

Forme féminine de *Simon*.
Variante: *Simonette*

Sohier (G)

Cet ancien nom germanique signifie: «chef d'armée victorieux».

Solange (F)

Ce nom norvégien signifie: «combattante pour la maison».

Sophie (F)

Ce nom d'origine grecque signifie: «sagesse». La variante russe *Sonja* a longtemps été populaire sous l'influence de la patineuse norvégienne *Sonia Hennie*. Aujourd'hui, la forme *Sophie* est de nouveau préférée.
Variantes: *Sonja (ru), Sophia (it)*

Soraya (F)

Ce nom d'origine islamique signifie: «bon roi».

Stanislas (G)

Ce nom polonais signifie: «par persévérance» et a été mis à la mode en France par *Stanislas Leczinski*, duc de Lorraine sous Louis XV, qui donna la Lorraine à la France.

Stéphane (G)

Ce nom d'origine grecque signifie: «couronne (décernée au vainqueur)». *Saint Stéphane* fut le premier martyr catholique lapidé.
Variantes: *Etienne, Stefano (it), Steve, Steven (nl)*

Stéphanie (F)

Forme féminine de *Stéphane*.
Variantes: *Etiennette, Fanny (angl), Stefana (all), Steffi (all), Stéphane*

Stella (F)

Ce nom emprunté au latin signifie: «étoile» (voir aussi *Maria*).

Sulpice (G)

Cet ancien nom d'origine latine veut dire «secourable».

Suzanne (F)

Ce nom d'origine hébraïque signifie: «(blanche comme) le lys». *Suzanne* était une jeune femme juive qui refusa les avances de deux vieillards. Comme ils étaient juges, ils l'accusèrent d'adultère. Le jeune Daniel intervint pour faire reconnaître l'innoncence de Suzanne et les vieillards furent lapidés.

Variantes: *Sue (angl), Susanna (all), Suzette, Suzon, Suzy*

Svéa (F)

Ce nom scandinave était l'ancien nom de la Suède: *svea-rike*. Un des plus grands poètes suédois *Esaias Tegnér* l'employa pour la première fois comme prénom en 1811.

Sven (G)

Ce nom scandinave signifie: «jeune homme». En Norvège et au Danemark, c'est un nom de roi.

Sylvie (F)

Ce nom est dérivé du latin *silva*: «forêt».
Variantes: *Sylvia, Sylviane*

Symphorien (G)

Cet ancien nom d'origine grecque signifie: «utile, avantageux».

Sylvain (G)

Ce nom d'origine latine signifie: «maître de la forêt».
Variante: *Silvano (it)*

Sylvaine (F)

Forme féminine de *Sylvain*.
Variante: *Silvana (it)*

Sylvestre (G)

Ce nom d'origine latine signifie: «appartenant à la forêt».

Tancrède (G)

Ce nom d'origine germanique signifie: «sage conseiller».

Tamara (F)

Ce nom hébreu signifie: «palmier».
Variantes: *Tamar, Tamira, Tara*

Tanguy (G)

Ce nom d'origine celtique signifie: «chien de feu». *Saint Tanguy* était le fils du seigneur de Trémazan. Egaré par sa belle-mère, il décapita sa soeur Haude. Epouvanté par ce crime involontaire, il se fit moine.

Tatiana Ⓕ

Ce nom d'origine latine est probablement une forme féminine de *Tatius*, roi des Sabins. *Sainte Tatiana* était honorée dans les pays slaves. Diverses œuvres littéraires ont remis ce prénom à la mode en Europe occidentale.
Variante: *Tania*

Thaïs Ⓕ

Ce nom d'origine grecque signifie: «celle qui passionne par son regard gentil».
Variante: *Thaïssa*

Thalia Ⓕ

Ce nom d'origine grecque signifie à peu près: «la fleurissante, la juvénile».

Thémis Ⓕ

Thémis était dans la mythologie grecque la déesse de la justice.

Théodora Ⓕ

Forme féminine de *Théodore*.
Variantes: *Dora, Dorine, Fédora (ru), Féodora (ru), Thea (nl), Théodorine*

Théodore Ⓖ

Ce nom d'origine grecque signifie: «don de dieu». Plusieurs saints ont rendu ce nom populaire dans l'Europe tout entière.
Variantes: *Dorus (nl), Fédor (ru), Féodor (ru), Fjodor (ru), Ted (angl), Teddy (angl), Theo (nl)*

Théophile Ⓖ

Ce nom d'origine grecque signifie: «ami de Dieu» ou «qui aime Dieu».

Théophraste Ⓖ

Ce nom assez rare est d'origine grecque et signifie: «celui qui explique les prophéties».

Thérèse Ⓕ

L'origine de ce nom qui a été porté par les reines espagnoles et que *sainte Thérèse d'Avila* a popularisé n'est pas claire. Il peut être associé au grec *theros*: «chaleur, été»; à *therizein*: «récolter» et à *thèrain*: «chasser».
Variantes: *Teresa (esp), Tessa, Tessy (angl), Tracy (angl)*

Thibault Ⓖ

Ce nom d'origine germanique signifie: «le courageux (parmi) le peuple, (celui qui se fait remarquer par) son courage (parmi) le peuple». Populaire d'abord à la cour allemande, le nom passa ensuite en France. *Saint Thibaut*, prieur austère, renforça cette popularité en Belgique et au Luxembourg.
Variantes: *Théobald, Thibaud, Thibaut*

Thierry Ⓖ

Ce nom d'origine germanique signifie à peu près: «puissant parmi le peuple».
Variantes: *Derek (angl), Derrick (angl), Dietrich (all), Dirk (nl), Terry (angl)*

Thomas Ⓖ

Ce nom est d'origine araméenne et signifie: «jumeau».
Saint Thomas, un des douze apôtres du Christ, est connu pour son incrédulité; après sa résurrection, le Christ se présenta à ses apôtres. Seul Thomas refusa de le reconnaître en le voyant. Il dut, pour se convaincre, toucher de sa main les plaies du Christ. D'autres saints ont porté le nom de Thomas. *Saint Thomas d'Aquin* qui écrivit *la Somme théologique*, *saint Thomas Becket*, ami du roi d'Angleterre et archevêque de Canterbury et *saint Thomas More*, chancelier d'Angleterre.
Variantes: *Thomé, Tom (angl), Tomaso (it), Tommy (angl)*

Timothé Ⓖ

Ce nom d'origine grecque signifie: «qui honore Dieu». Il est plus répandu en Angleterre qu'en Europe continentale.
Variantes: *Tim (angl), Timothy (angl)*

Tirza Ⓕ

Ce nom hébreu signifie: «grâce».

Tobie Ⓖ

Tobie est à l'origine un nom hébreu qui signifie: «bon maître». *Tobias* est célèbre pour avoir guéri son père de la cécité.
Variante: *Tobias (all, nl, angl)*

Tosca Ⓕ

Dans l'opéra *Tosca* de Puccini, le personnage féminin principal porte ce nom qui signifie: «originaire de Toscane».

Toussaint Ⓖ

Cet ancien nom fut donné aux enfants nés le jour de la Toussaint, c.à.d. le premier novembre.

Tribert Ⓖ

Cet ancien nom d'origine germanique signifie: «trêve célèbre».

Tristan Ⓖ

L'origine de ce nom médiéval, mis à la mode par le roman d'amour *Tristan et Iseut*, n'est pas claire.

Turoldus

Turoldus est une forme latinisée de Thorvald qui apparaît dans la *Chanson de Roland*. Thorvald est un nom scandinave qui signifie: «Thor (= dieu) règne».
Variante: *Thorvald*

Ulla (F)

Ce nom d'origine germanique signifie: «de terre noble». On peut aussi le considérer comme le petit nom d'*Ursule*.

Ulrich (G)

Ce nom allemand signifie: «puissant par son patrimoine».
La forme féminine est *Ulrike*.
Variantes: *Olderico (it)*, *Olrik (scand)*, *Oury*, *Ulrique (esp)*

Ulysse (G)

Ulysse est le nom latin du héros grec *Odysseus*. Il participa à la guerre de Troie, mena mille combats et employa mille ruses pour échapper aux épreuves qu'il rencontra.

Urbain (G)

Ce nom d'orgine latine, aujourd'hui peu usité, signifie: «citadin, de la ville», ayant le sens secondaire de «poli». *Saint Urbain* est le patron du vin et des viticulteurs.

Uriel (G)

Ce nom hébreu signifie: «Dieu est ma lumière».
La forme féminine est *Urielle*.
Variante: *Uri*

Ursule (F)

Ce nom d'origine latine signifie: «petite ourse».
Variantes: *Ursula (all, angl)*, *Ursuline*

Valdemar (G)

Ce nom d'origine germanique signifie: «chef illustre»»
Variantes: *Voldemar*, *Waldemar*

Valentin (G)

Valentin est le petit nom du latin *valens* qui veut dire: «fort, de bonne santé». *Saint Valentin* fut amené à bénir l'union de deux jeunes gens. Leur couple fut tellement heureux que tous les amoureux voulurent être bénis par lui. Nous en avons retenu la fête des amoureux, le jour de la Saint-Valentin, le 14 février.
La forme féminine est *Valentine*.

Valère (G)

Ce nom est dérivé du latin *valere*: «être courageux, fort, influent». La forme féminine est *Valérie*.
Variantes: *Valéri*, *Valérien*, *Valéry*

Vanessa (F)

Ce nom anglais a été inventé au XVIIIième siècle par Dean Swift. Il est populaire aussi bien en Angleterre qu'aux Etats-Unis.

Vasco (G)

Ce nom portugais signifie: «le basque». L'explorateur *Vasco de Gama* l'a rendu célèbre.

Vauburg (F)

Ce nom d'origine germanique signifie à peu près: «protectrice au champ de bataille».

Vera (F)

Ce nom d'origine russe signifie: «foi, confidence». Plus tard on l'a associé au latin *verus*: «vrai».

Véronique (F)

Ce nom d'origine grecque signifie: «celle qui apporte la victoire». *Sainte Véronique*, voyant passer le Christ sur le chemin du

Calvaire, lui aurait essuyé le visage avec un linge blanc sur lequel les traits de la sainte face seraient restés imprimés.
Variante: *Vroni (all)*

Victor G

Ce nom d'origine latine signifie: «vainqueur». Plusieurs rois l'ont rendu populaire surtout en Allemagne et en Italie.
Variantes: *Victorien, Victorin, Vittorio (it)*

Victoria F

Forme féminine de *Victor. La reine Victoria d'Angleterre* a rendu ce nom populaire dans son pays.
Variantes: *Vicky (angl), Victoire, Victorine, Vittoria (it)*

Vincent G

Ce nom d'origine latine signifie: «celui qui vainc». Plusieurs saints ont contribué à la popularité de ce nom.
La forme féminine est *Vinciane.*

Violette F

Ce nom de fleur est populaire dans le Midi depuis le Moyen Age. En Angleterre, il est aussi assez fréquent.
Variante: *Viola (angl), Violet*

Virgile G

La signification de ce nom d'origine étrusque est obscure. A l'origine, c'était un patronyme romain comme le montre le nom du célèbre poète Publius Vergilius Maro. On le rencontre encore dans le Midi de la France.

Virginie F

Selon certains, ce nom est dérivé du latin *virgo, virginis:* «vierge» mais il est plus probable qu'il est du même radical que *Virgile.* Il est devenu populaire par le roman *Paul et Virginie* de Bernardin de Saint-Pierre.
Variantes: *Ginny (angl), Virginia (angl)*

Vital G

Cet ancien nom, longtemps en faveur, est d'origine latine et signifie: «vivace, plein de vitalité, vigoureux».

Viviane F

Ce nom d'origine latine signifie: «débordante de vie». *Viviane* est un personnage de la mythologie armoricaine, qui devint fée grâce au savoir de l'enchanteur Merlin. C'était elle qui révéla à Lancelot les règles de la chevalerie.
Variantes: *Bibiane, Vivienne*

Vivien G

Forme masculine de *Viviane.*

Variante: *Vivian*

Vladislav G

Ce nom d'origine slave signifie: «glorieux (à force de) régner». Plusieurs rois hongrois et polonais en ont fait un nom populaire en Europe orientale.
Variante: *Lazlo (hongr)*

Vladimir G

Ce nom russe signifie: «chef glorieux». *Saint Vladimir le Grand* fonda l'église russe.

Wanda F

Ce nom polonais signifie: «la slave». *Wanda* est la fille d'un roi polonais dans les légendes.

Wenceslas G

Ce nom d'origine slave signifie: «couronne de gloire». *Saint Wenceslas,* honoré en Tchécoslovaquie, est le patron de la Bohême.

Wendy F

Ce nom anglais a été employé pour la première fois par J.M. Barrie dans son conte de fée *Peter Pan.*

Werner G

Ce nom pourrait signifier: «chef de l'armée».
Variantes: *Garnier, Vernier*

Werther G

Ce nom allemand signifie: «de haute valeur». Le roman du même nom de Goethe l'a mis à la mode, surtout en Allemagne.

Wilfrid G

Ce nom d'origine germanique signifie: «qui veut la paix».

Wolfgang G

Ce nom d'origine germanique signifie: «marcher (au combat) comme un loup». *Wolfgang Amadeus Mozart* a fait beaucoup pour la popularité de ce nom.

Xavier G

Ce nom d'origine basque signifie: «maison
neuve». C'était à l'origine le patronyme de
saint François-Xavier: Don Francisco de
Yasy y *Javier*, d'après le château et le lieu
de ce nom. Saint François-Xavier était un
des premiers Jésuites.
La forme féminine est *Xavière*.

Yolande F

Ce nom pourrait être une variante de Viola
(cf. Violette) ou une forme romane d'*Ode-
linde*: «serpent du patrimoine», le serpent
étant le symbole de celle qui connaît les secrets. *Sainte Yolande* est honorée au Luxembourg et dans les Ardennes.

Yves G

Ce nom d'origine germanique pourrait si-
gnifier: «if, taillé dans un bois souple».
Saint Yves était l'avocat des pauvres.
Variantes: *Ivo (nl), Ivon*

Yvonne F

Forme féminine d'Yves.
Variantes: *Ivette, Ivy (angl), Yvette*

Zacharie G

Ce nom hébreu signifie: «Dieu se sou-
vient».

Zénon G

Ce nom d'origine grecque signifie: «consacré à Dieu».

Zéphirin G

Ce nom d'origine grecque signifie: «souf-
fle».
Variante: *Zéphir*

Zita F

Ce nom italien signifierait: «la rapide» ou
«l'heureuse».

Zoé F

Ce nom d'origine grecque signifie: «vie».

INDEX
DES
PRÉNOMS

A

Abel
Abélard
Abélia
Abella (Abel)
Abraham
Abrahim (Abraham)
Achmed
Adalbert (Albert)
Adam
Adanet (Adam)
Adélaïde (Adèle)
Adèle
Adeline (Adèle)
Adelise
Adenet (Adam)
Adenot (Adam)
Adhémar
Adine (Adèle)
Adné (Adam)
Adnet (Adam)
Adnot (Adam)
Adolphe
Adolphine
Adrian (Adrien)
Adriane (Adrienne)
Adrielle (Adrienne)
Adrien
Adrienne
Adriette
Agatha (Agathe)
Agathe
Agnès
Agnetha (Agnès)
Agostino (Auguste)
Ahmed (Achmed)
Aïda
Aileen (Hélène)
Aimé (Aimée)
Aimée
Aimeric (Aimery)
Aimery
Aimon (Aymon)
Alain
Alan (Alain)
Albain (Alban)
Alban
Albéric (Aubrey)
Albert
Alberta (Alberte)
Alberte
Alberti (Albert)
Albertine (Alberte)
Albina (Aubine)
Albinia (Aubine)
Alda (Aldegonde)
Aldebert (Albert)
Aldegonde
Alec (Alexandre)
Alessio (Alexandre)
Alex (Alexandre)

Alexandra
Alexandre
Alexandrine
 (Alexandra)
Alexi (Alexis)
Alexine (Alexandra)
Alexis
Alexis (Alexandre)
Alfred
Alfreda
Alfredo
Ali (Adèle)
Alice
Alice (Adèle)
Alicia (Adèle)
Alida (Adèle)
Aliénor (Eléonore)
Aline (Adèle)
Alisa (Adèle)
Alison (Alice)
Alissa (Adèle)
Alix (Alexandra)
Almaric (Amaury)
Aloïs (Aloysius)
Alonso (Alphonse)
Alouette
Alouis (Louis)
Alouisa (Aloysius)
Aloysius
Alphonsa
 (Alphonsine)
Alphonse
Alphonsine
Amabel (Amable)
Amabilis (Amable)
Amable
Amadeo (Amédée)
Amadeus (Amédée)
Amand
Amanda
Amande (Amanda)
Amandine (Amanda)
Amarante
Amarantha
 (Amarante)
Amaryllis
Amaury
Ambroise
Ambrosine
 (Ambroise)
Amédée
Amélie (Emilie)
Amy (Aimée)
Amy (Amable)
Anaïs
Anastase
Anastasia
 (Anastasie)
Anastasie
Anatole
Anders (André)
Andine (Andrée)

André
Andréa (Andrée)
Andrée
Andréi (André)
Andrés (André)
Andrew (André)
Andriette (Andrée)
Andy (André)
Ange
Angel (Ange)
Angèle (Ange)
Angelice (Angèle)
Angelie (Angèle)
Angéline (Angèle)
Angélique (Angèle)
Angelo (Ange)
Anika (Anne)
Anita (Anne)
Anja (Anne)
Anna (Anne)
Annabelle
Annabelle (Arabelle)
Anne
Anneclaire
Annefleur
Annelore
Anne-Marie
Annemie
 (Anne-Marie)
Annette (Anne)
Annick (Anne)
Annie (Anne)
Anouk (Anne)
Anseaume (Anselme)
Anselme
Antheaume
 (Anselme)
Anthony (Antoine)
Antigone
Antoine
Antoinette
Anton (Antoine)
Antonia (Antoinette)
Antonin (Antoine)
Antonine
 (Antoinette)
Antonio (Antoine)
Anushka (Anne)
Apollin (Apollinaire)
Apollinaire
Apolline
Arabelle
Araldo (Hérault)
Arduin (Harduin)
Arduino (Harduin)
Ariadne (Ariane)
Arian (Adrien)
Ariane
Ariel
Arielle (Adrienne)
Arielle (Ariel)

Ariette (Adrienne)
Aristide
Arlette
Armance (Armande)
Armand
Armande
Armandine
 (Armande)
Armant (Armand)
Armel
Armelle (Armel)
Arnaud
Arnold (Arnaud)
Arnoul(d) (Arnaud)
Arrigo (Henri)
Arsène
Arthur
Asta (Anastasie)
Asta (Astrid)
Asti (Astrid)
Astrid
Athalie
Athanase
Aubain (Alban)
Auban (Alban)
Aubanel (Alban)
Aubard (Aubaud)
Aubaud
Aubéron
Aubert (Albert)
Aubin
Aubine
Aubrey
Aubron (Aubéron)
Aubry (Aubrey)
Auda (Aude)
Aude
Audebert (Albert)
Audibert (Albert)
Audric (Audry)
Audry
Auguste
Augustin (Auguste)
Aure
Aurée (Aure)
Aurèle (Aurélien)
Aurélie (Aurélien)
Aurélien
Aurore (Aure)
Austin (Auguste)
Avice (Hedwige)
Avoice (Hedwige)
Avoye (Hedwige)
Axel (Alexandre)
Axelle (Alexandra)
Aymon

B

Babette (Barbara)
Babette (Elisabeth)

Babiche (Barbara)
Balthazar
Baptiste
Barbara
Barbe (Barbara)
Barbie (Barbara)
Barnabas (Barnabé)
Barnabé
Barnaby (Barnabé)
Barney (Barnabé)
Barry
Bart (Bartholomé)
Barthélémy
  (Bartholomé)
Bartholomé
Bartolo (Bartholomé)
Bas (Barnabé)
Basil
Bastien (Sébastien)
Bathilde
Baudouin
Bayard
Béa (Béatrice)
Béate
Béatrice
Bélinde
Bella (Belle)
Bella (Isabelle)
Belle
Belle (Isabelle)
Bellina (Belle)
Ben
Bendetta (Benoîte)
Bénédict (Benoît)
Bénédicte (Benoîte)
Bénédictine
  (Benoîte)
Bénine
Benite (Benoîte)
Benito (Benoît)
Benjamin
Benjamine
  (Benjamin)
Bennet (Benoît)
Benoît
Benoîte
Benvenuta
Benvenuto
  (Benvenuta)
Beppe (Joseph)
Béranger (Bérenger)
Berby (Barbara)
Bérenger
Bérénice
Bernadette
Bernard
Bernardin (Bernard)
Bernardine
  (Bernadette)
Bernier (Bernard)
Bertha (Berthe)
Bertha (Huberte)

Berthe
Berthe (Alberte)
Berthe (Huberte)
Berthold
Bertille
Bertran (Bertrand)
Bertrand
Beryl
Bess (Elisabeth)
Bessie (Elisabeth)
Bets (Elisabeth)
Betsie (Elisabeth)
Betta (Elisabeth)
Bettina (Benoîte)
Bettina (Elisabeth)
Bettino (Benoît)
Betto (Benoît)
Betty (Elisabeth)
Bianca (Blanche)
Bibi (Brigitte)
Bibiane (Viviane)
Bibiche
Bice (Béatrice)
Bienvenue
  (Benvenuta)
Bill (Guillaume)
Billy (Guillaume)
Bine (Aubine)
Birgit (Brigitte)
Birgitte
Björn
Blaise
Blanca (Blanche)
Blanche
Blandine
Blondine (Blandine)
Bob (Robert)
Bobby (Robert)
Bonaventure
Boniface
Boris
Brenda
Brice
Brigida (Brigitte)
Brigide (Brigitte)
Brigitte
Britt (Brigitte)
Britta (Brigitte)

C

Calixte
Calliste (Calixte)
Callixte (Calixte)
Camilia (Camille)
Camille
Camillo (Camille)
Candide
Cara
Carine (Catherine)
Carla (Charlotte)

Carli (Charlotte)
Carlos (Charles)
Carlotta (Charlotte)
Carmella (Carmen)
Carmen
Carola (Charlotte)
Carole (Charles)
Carole (Charlotte)
Caroline (Charlotte)
Carolyn (Charlotte)
Carrie (Charlotte)
Casimir
Caspar (Gaspar)
Cassandre
Cassien
Catalina (Catherine)
Catherine
Cathleen (Catherine)
Cathy (Catherine)
Cécile
Cécilia (Cécile)
Cédric
Céleste
Célestin (Céleste)
Célestine
Célia (Cécile)
Célie (Cécile)
Céline (Célestine)
Céline (Marcelle)
Césaire (César)
César
Césarine (César)
Chantal
Charles
Charlie (Charles)
Charline (Charlotte)
Charlotte
Chérie
Chérise (Chérie)
Chloë
Chrestien (Christian)
Chrétien (Christian)
Chrétienne
  (Christine)
Chris (Christian)
Chrissy (Christine)
Christa (Christine)
Christel (Christine)
Christian
Christiane
  (Christine)
Christine
Christophe
Christy (Christine)
Cindy
Cindy (Lucie)
Ciska (Françoise)
Claire
Clairette (Claire)
Clara (Claire)
Clarinde (Claire)
Clarisse (Claire)

Claude
Claude (Claudine)
Claudette (Claudine)
Claudi (Claude)
Claudi (Claudine)
Claudia (Claudine)
Claudine
Claus (Nicolas)
Clélia
Clélie (Clélia)
Clémence
Clément
Clémentine
  (Clémence)
Clemma (Clémence)
Cléopâtre
Clio (Cléopâtre)
Clotaire
Clotilde
Clovis
Colas (Nicolas)
Colette
Colette (Nicole)
Colin (Nicolas)
Colomba (Colombe)
Colomban
Colombe
Colon (Colomban)
Côme
Connie (Constance)
Conny (Constance)
Conrad
Constance
Constant
Constantin
  (Constant)
Constantine
  (Constance)
Cora (Corinne)
Coralie
Corentin
Corinne
Corneille
Cornelius (Corneille)
Cosimo (Côme)
Cosme (Côme)
Crépin
Crespin (Crépin)
Crispin (Crépin)
Curtis
Cyprien
Cyriaque
Cyrille

D

Daan (Daniel)
Dabert (Dagobert)
Dagmar
Dagobert
Daisy

Dalia
Dalilah (Délilah)
Damien
Dana (Danielle)
Daniel
Danièle (Danielle)
Danka (Danielle)
Danny (Daniel)
Danny (Danielle)
Dante (Durand)
Daphné
Daria (Darius)
Darius
Dauphine (Delphine)
Dave (David)
David
Davida (Davide)
Davide
Davine (Davide)
Davy (David)
Déborah
Debra (Déborah)
Dédé
Deirdre
Délilah
Delphine
Denis
Denise
Déodat
Derek (Thierry)
Derrick (Thierry)
Désiré
Désirée (Désiré)
Diana (Diane)
Diane
Dianne (Diane)
Diaz (Jacques)
Dicky (Richard)
Didier
Dié (Déodat)
Diego
Diego (Jacques)
Dietrich (Thierry)
Dieudonné (Déodat)
Dimi (Dimitry)
Dimitry
Dinah
Dines (Denis)
Dion (Denis)
Dionne (Denise)
Dirk
Dirk (Thierry)
Djamila
Doll (Dorothée)
Dolly (Dorothée)
Dolores
Dolphine
  (Adolphine)
Domenico
  (Dominique)
Domingo
  (Dominique)

Doménique
  (Dominique)
Domien (Dominique)
Dominique
Don (Donald)
Donald
Donat (Donatien)
Donatella
  (Donatienne)
Donatien
Donatienne
Donny (Donald)
Dora (Dorothée)
Dora (Théodore)
Doreen (Dorothée)
Dorette (Dorothée)
Doriane (Dorothée)
Dorine (Dorothée)
Dorine (Théodora)
Doris
Dorothée
Dorothy (Dorothée)
Dorus (Théodore)
Douce
Douceline (Douce)
Duarte (Edouard)
Dulceline (Douce)
Dulcinea (Douce)
Dulcie (Douce)
Durand

E

Ed (Edouard)
Eddie (Edouard)
Eddy (Edouard)
Edgar (Edouard)
Edgard (Edgar)
Edith
Editha (Edith)
Edmé (Edmond)
Edmée
Edmond
Edmonde (Edmée)
Edmunda (Edmée)
Edna
Edouard
Eduardo (Edouard)
Edwige
Egide (Gilles)
Egidia (Gilda)
Eglantine
Elaine (Hélène)
Elberdina (Alberte)
Elda (Hilda)
Electre
Eléna (Hélène)
Elenita (Hélène)
Eléonore
Eli
Eliane

Elias (Elie)
Elie
Elinor (Eléonore)
Elisa (Elisabeth)
Elisabeth
Elise (Elisabeth)
Elisée
Elizabeth (Elisabeth)
Ella (Elisabeth)
Ellen
Ellyberthe (Alberte)
Elmire
Elodie
Eloi (Eloy)
Eloy
Els (Elisabeth)
Elsa (Elisabeth)
Elsbeth (Elisabeth)
Elselina (Elisabeth)
Elvire
Elyah (Elie)
Elza (Elisabeth)
Emilie
Emilien (Emile)
Emilienne (Emilie)
Emile
Emma
Emmanuel
Emmanuelle
Emmy (Emilie)
Emmy (Emma)
Emry
Enguerran
  (Enguerrand)
Enguerrand
Enid
Enrico (Henri)
Enrique (Henri)
Enzo
Ephraïm
Erard
Erasme
Erberto (Herbert)
Eriberto (Herbert)
Eric
Erika (Eric)
Ermelinde
Ermlinde
  (Ermelinde)
Erna
Ernest
Ernesta (Ernestine)
Erneste (Ernestine)
Ernestine
Ernesto (Ernest)
Ernie (Ernest)
Esméralda
Espérance
Estrelle (Estelle)
Estelle
Esther
Etienne

Etienne (Stéphane)
Etiennette
  (Stéphane)
Ettore (Hector)
Eugène
Eugénia (Eugénie)
Eugénie
Eunice
Euryanthe
Eurydice
Eustace
Eustache
Euthalie
Eva (Eve)
Evan (Jean)
Evangeline
Evariste
Eve
Evelyne
Evianne
Evita (Eve)
Evrard
Ezra

F

Fabian (Fabien)
Fabiana (Fabienne)
Fabien
Fabienne
Fabiola (Fabienne)
Fabius (Fabien)
Fabrice
Fanny
Fanny (Françoise)
Fanny (Stéphane)
Fatima
Fausta (Faustine)
Faustin
Faustine
Fausto (Faustin)
Federigo
  (Frédérique)
Fédor (Théodore)
Fédora (Théodora)
Félice (Félicie)
Félicia (Félicie)
Félicie
Félicienne (Félicie)
Félicité (Félicie)
Felipa (Philippe)
Felipe (Philippe)
Félix
Féodor (Théodore)
Féodora (Théodora)
Ferdinand
Ferdinande
  (Ferdinand)
Firmín (Firmin)
Fernand (Ferdinand)
Fernanda (Fernande)

Fernande
Fernando
(Ferdinand)
Ferrand (Ferdinand)
Fidèle
Finetta (Joséphine)
Fiona
Fiora (Flore)
Fiorina (Flore)
Firmin
Fjodor (Théodore)
Flavian (Flavien)
Flavie (Flavien)
Flavien
Fleur (Flore)
Fleuri-Anne
Flora (Flore)
Flore
Florence (Flore)
Florent
Florentin (Florent)
Florentine (Flore)
Florian (Florent)
Floriane (Flore)
Florine (Flore)
Floss (Flore)
Flossie (Flore)
Fons (Alphonse)
Fonsine
(Alphonsine)
Fortunat
Fortune (Fortunat)
Fortuné (Fortunat)
Foster (Gaston)
Foy (Fidèle)
France (François)
France (Françoise)
Frances (Françoise)
Francesca
(Françoise)
Francette
(Françoise)
Francine (Françoise)
Francique
(Françoise)
Francis (François)
Francis (Françoise)
Franck (François)
François
Françoise
Frans (François)
Franz (François)
Fréa (Fréya)
Fred (Alfred)
Fred (Frédérique)
Fréda (Frédérique)
Freddie (Alfred)
Freddy (Frédérique)
Frédéri (Frédérique)
Frédéric
(Frédérique)
Frédérica
(Frédérique)
56

Frédérick
(Frédérique)
Frédérique
Frémond
Fréya
Frida (Frédérique)
Frieda (Frédérique)
Friedrich
(Frédérique)
Fritz (Frédérique)

G

Gabi (Gabriel)
Gabi (Gabrielle)
Gabriel
Gabriella (Gabrielle)
Gabrielle
Gabrio (Gabriel)
Gaby (Gabriel)
Gaby (Gabrielle)
Gaétan
Gaétane (Gaétan)
Galathée
Gallien
Garnier (Werner)
Gareth
Garnoud
Garret (Gareth)
Gary (Gareth)
Gaspar
Gaspard (Gaspar)
Gasparin (Gaspar)
Gaston
Gauger (Gauthier)
Gaugier (Gauthier)
Gauthier
Gautier (Gauthier)
Gauvin
Gavin (Gauvin)
Gavina (Gauvin)
Gédéon
Gène (Eugène)
Gènes
Geneviève
Gennaro (Janvier)
Geoffroy
George (Georgette)
Georges
Georgette
Georgia (Georgette)
Georgina (Georgette)
Georgine (Georgette)
Gérald
Gérard
Gérarde
Gérardine (Gérarde)
Géraud (Gérald)
Gerbaud
Gerd (Gérard)
Gerda

Gerda (Gérarde)
Germain
Germaine (Germain)
Gertie (Gertrude)
Gertrude
Gervais
Gervaise (Gervais)
Géry
Ghislain
Ghislaine (Ghislain)
Giacinta (Hyacinte)
Giacinto (Hyacinte)
Giacomo (Jacques)
Gian (Jean)
Gianna (Jeanne)
Gianni (Jean)
Giannina (Jeanne)
Gide (Gilles)
Gidéon (Gédéon)
Gigi (Louis)
Gila (Gilda)
Gilbert
Gilberte (Gilbert)
Gilda
Gill (Julie)
Gillard (Gilles)
Gilles
Gina
Gine (Geneviève)
Gina (Georgette)
Gina (Régine)
Ginette (Geneviève)
Ginèvra (Guinèvre)
Guinèvre
Gini (Louis)
Ginny (Virginie)
Gino (Gina)
Giorgio (Georges)
Giovanna (Jeanne)
Giovanni (Jean)
Giraldo (Gérald)
Girod (Gérald)
Gisa (Gisèle)
Gisela (Gisèle)
Gisèle
Giselinde (Gisèle)
Giselle (Gisèle)
Gita (Birgitte)
Gita (Birgitte)
Giulette (Julie)
Giulia (Julie)
Giulio (Jules)
Guiseppe (Joseph)
Gladys
Glenn
Gloria
Godart
Godefroy (Geoffrey)
Godfried (Geoffroy)
Gonda (Aldegonde)
Gonde (Hillegonde)
Gontran

Gonzague
Grace
Gracie (Grace)
Gratien
Grazia (Grace)
Grazielle (Grace)
Grégoire
Gregor (Grégoire)
Gregoria (Grégoire)
Gregory (Grégoire)
Gretel (Marguerite)
Griselda
Guido (Guy)
Guillaume
Guillaumette
(Guillaume)
Guillemette
(Guillaume)
Guillermo
(Guillaume)
Guinevère
(Guinèvre)
Guinèvre
Gunther
Gusta
Gustaphine (Gusta)
Gustave
Gustavie (Gusta)
Gustin (Auguste)
Gustine (Gusta)
Guy
Guyon (Guy)
Gwendo
(Gwendoline)
Gwendoline
Gwénola
(Gwendoline)
Gwénolé
(Gwendoline)

H

Hadrien (Adrien)
Halla (Hélène)
Hanna (Jeanne)
Hans
Hans (Jean)
Harald (Hérault)
Hardi
Harduin
Harriette (Henriette)
Harold (Hérault)
Harriot (Henriette)
Harry (Henri)
Harvey (Hervé)
Haydée
Hazel
Heather
Hector
Hectorine (Hector)
Hedda (Hedwige)

Hedvige (Hedwige)
Hedwig (Hedwige)
Hedwige
Heidi
Heinrich (Henri)
Heinz (Henri)
Helen (Hélène)
Helena (Hélène)
Héloïse
Hémon (Aymon)
Hendrik (Henri)
Henri
Henriette
Henry (Henri)
Hérault
Herbaud
Herbert
Hercule
Herman (Armand)
Hermane (Armande)
Hermelindis
(Ermelinde)
Herméone
Hermine (Armande)
Hernando
(Ferdinand)
Hervé
Hetty (Henriette)
Hilaire
Hilary (Hilaire)
Hilda
Hilde (Hilda)
Hildegarde
Hillegonde
Hiltrude
Hippolyte
Honora (Honorée)
Honorât (Honoré)
Honoré
Honorée
Honorine (Honorée)
Hortense
Hortensia (Hortense)
Hubert
Huberte
Hubertine (Huberte)
Hue (Hugues)
Hugo (Hugues)
Hugon (Hugues)
Hugues
Huguette (Hugues)
Humbert
Humfroi
Humphrey
(Humfroi)
Huon (Hugues)
Hyacinte

I

Ian (Jean)
Ida
Ignace
Igor
Ilda (Hilda)
Ilja (Elie)
Ilka (Hélène)
Ilona (Hélène)
Ilse
Ima (Irma)
Immanuel
(Emmanuel)
Immanuelle
(Emmanuelle)
Ina
Indira
Inès
Inès (Agnès)
Inèz (Agnès)
Ingrid
Iñigo (Ignace)
Iphigénie
Ira
Iréna (Irène)
Irène
Irénée (Irène)
Irina (Irène)
Iris
Irisabelle
Irma
Irmélia (Irma)
Irmine (Irma)
Isa (Isabelle)
Isabeau (Isabelle)
Isabelle
Iseult
Iseut (Iseult)
Isidore
Isobel (Isabelle)
Isolde (Iseult)
Ivan
Ivan (Jean)
Ivana (Jeanne)
Ivanka (Jeanne)
Ivar
Ivette (Yvonne)
Ivo (Yves)
Ivon (Yves)
Ivor
Ivy (Yvonne)

J

Jacinta (Hyacinthe)
Jacinthe (Hyacinthe)
Jacinto (Hyacinthe)
Jack (Jean)
Jaco (Jacques)
Jacqueline

Jacques
Jago (Jacques)
Jaimé (Jacques)
James (Jacques)
Jamilla (Djamila)
Jan (Jean)
Jane (Jeanne)
Janet (Jeanne)
Janice (Jeanne)
Janvier
Jasmine
Jason
Jean
Jean-Baptiste
Jean-Claude
Jeanine (Jeanne)
Jean-Louis
Jean-Luc
Jeanne
Jeannette (Jeanne)
Jeannie (Jeanne)
Jean-Paul
Jean-Philippe
Jean-Pierre
Jean-Sébastien
Jef (Joseph)
Jeff
Jeff (Joseph)
Jehan (Joseph)
Jehan (Jean)
Jehanne (Jeanne)
Jenny (Jeanne)
Jérémias (Jérémie)
Jérémie
Jerôme
Jerry (Jérémie)
Jessica
Jessie (Jeanne)
Jessy (Jessica)
Jette (Henriette)
Jill
Jill (Julie)
Jillian (Julie)
Jim
Jim (Jacques)
Jimmy (Jacques)
Joachim
Joanne (Jeanne)
Jocelyn
Jocelyne (Jocelyn)
Jochem (Joachim)
Jochen (Joachim)
Jodocus (Josse)
Jody (Judith)
Joe (Joseph)
Joël
Joëlle (Joël)
Joeri (Georges)
Johan (Jean)
Johanna (Jeanne)
Johannes (Jean)
John (Jean)

Johnny (Jean)
Jonas
Jonathan
Jordana (Jourdan)
Jordi (Georges)
Jorge (Georges)
Jörgen (Georges)
Joris (Grégoire)
Jos (Joseph)
Josa (Joséphine)
José (Joseph)
Josée (Joséphine)
Joseline (Joséphine)
Joseph
Josèphe (Joseph)
Joséphin (Joseph)
Joséphine
Josette (Joséphine)
Josiane (Joséphine)
Josse
Josse (Joseph)
Josyanne (Joséphine)
Joubert
Jourdan
Joy
Joyce
Juan (Jean)
Juana (Jeanne)
Juanita (Jeanne)
Juanito (Jean)
Judith
Judy (Judith)
Jules
Julian (Jules)
Juliana (Julie)
Julie
Julien (Jules)
Julienne (Julie)
Juliette (Julie)
June
Jürgen (Georges)
Juri (Georges)
Jurian (Georges)
Just (Justin)
Juste (Justine)
Justin
Justina (Justine)
Justine
Jutta (Judith)
Jutte (Judith)

K

Karen
Karen (Catherine)
Kari-Anne
Karin (Catherine)
Karine (Catherine)
Karl (Charles)
Karla (Charlotte)
Karsten (Christian)

Katalinka (Catherine)
Katia
Katia (Catherine)
Katinka (Catherine)
Kelly
Kersten (Christine)
Kevin
Kirsten (Christine)
Kirstine (Christine)
Kitty (Catherine)
Knud
Kurt (Conrad)

L

Laban
Laetitia (Letty)
Laila (Leila)
Lambert
Lana
Lance (Lancelot)
Lancelot
Landry
Laudry
Lanfrey
Lara (Laurence)
Larissa (Laurence)
Larry (Laurent)
Lars (Laurent)
Laura (Laurence)
Laure (Laurence)
Laure (Laurent)
Laurence (Laurent)
Laurent
Lauretta (Laurence)
Laurette (Laurence)
Laurie (Laurent)
Lawrence (Laurent)
Lazare
Lazarine (Lazare)
Lazlo (Vladislav)
Léa
Leila
Lena (Hélène)
Lena (Madeleine)
Leni (Hélène)
Léocadie (Léo)
Léocadie (Léo)
Léon (Léo)
Léona (Léontine)
Léonard
Léonardo (Léonard)
Léonce (Léo)
Léonce (Léontine)
Léonie (Léontine)
Léonora (Eléonore)
Léontine
Léopold
Léopoldine
Lesley
Leticia (Letty)

Letizia (Letty)
Lettice (Letty)
Letty
Lévi
Lewis (Louis)
Lia (Léa)
Liane (Julie)
Lidi (Adèle)
Lidia (Adèle)
Lidy (Adèle)
Lidwine
Liesbeth (Elisabeth)
Lili
Lili (Julie)
Liliane
Lilith
Lily (Lili)
Linda
Line
Lionel
Lionel (Léo)
Lippo (Philippe)
Lisa (Elisabeth)
Lisa (Louise)
Lisanne
Lise
Lise (Elisabeth)
Lise (Louise)
Liselore
Liselotte
Lisette (Elisabeth)
Lisette (Louise)
Livia
Liz (Lise)
Liza (Elisabeth)
Liza (Louise)
Lize (Charlotte)
Lizzy (Elisabeth)
Loïc (Louis)
Lois (Louis)
Lola
Lola (Charlotte)
Lola (Dolores)
Lolita (Dolores)
Lolita (Lola)
Lora (Eléonore)
Lore (Eléonore)
Lorenz (Laurent)
Lorenzo (Laurent)
Loretta
Lorette (Loretta)
Lotte (Charlotte)
Louette (Alouette)
Loulou (Louise)
Loup
Louis
Louisa (Louise)
Louise
Louisette (Louise)
Louison (Louis)
Lubin (Loup)
Luc

Luca (Luc)
Lucas (Luc)
Luce (Lucie)
Lucette (Lucie)
Luciano (Lucien)
Lucie
Lucien
Lucienne (Lucie)
Lucile (Lucie)
Lucinda (Lucie)
Lucinde (Lucie)
Lucrèce
Lucy (Lucie)
Ludo (Louis)
Ludovic (Louis)
Ludwig (Louis)
Luigi (Louis)
Luigini (Louis)
Luisa (Louise)
Luise (Louise)
Ludmilla
Lutgarde
Lydia (Lydie)
Lydie
Lydwine (Lidwine)
Lyn (Line)
Lynn

M

Mabel
Mabel (Amable)
Mabile (Amable)
Macaire
Madeleine
Madeline
   (Madeleine)
Madelon
   (Madeleine)
Mady (Madeleine)
Magali (Marguerite)
Magda (Madeleine)
Magdaleine
   (Madeleine)
Magdelane
   (Madeleine)
Maggie (Marguerite)
Mahalia
Maja (Marie)
Malou
   (Marie-Louise)
Malvy
Mandy (Amanda)
Manette (Madeleine)
Manoló (Emmanuel)
Manon (Madeleine)
Manu (Emmanuel)
Manuel (Emmanuel)
Manuele
   (Emmanuelle)
Manuelle
   (Emmanuelle)

Mara
Mara (Marie)
Marc
Marceau (Marcel)
Marcel
Marcelin (Marcel)
Marceline (Marcelle)
Marcellin (Marcel)
Marco (Marc)
Margaret
   (Marguerite)
Margaux
   (Marguerite)
Margot (Marguerite)
Margoue
   (Marguerite)
Marguerite
Margy (Marguerite)
Maria (Marie)
Marianne
Maribelle
Marie
Marie-Amélie
Marie-Ange
Marie-Antoinette
Marie-Christine
Marie-Claire
Marie-Claude
Marie-Fleur
Marie-France
Marie-Henriette
Marie-Jeanne
Marie-Josée
Mariella (Marie)
Marie-Louise
Marie-Paule
Marie-Pierre
Marie-Rose
Marietta (Marie)
Mariette (Marie)
Marike (Marie)
Marilise (Marlise)
Marilou
   (Marie-Louise)
Marilyn
Marin
Marina
Marine (Marina)
Marinelle
Mariola (Marie)
Mario (Marius)
Marion (Marie)
Marionne (Marie)
Mariska (Marie)
Marita (Marie)
Marius
Marjorie
   (Marguerite)
Marjorie (Marie)
Marlène
Marlène (Madeleine)
Marlies (Marlise)

Marlise
Martha (Marthe)
Marthe
Martial
Martin
Martine
Martino (Martin)
Maruschka (Marie)
Mary (Marie)
Marylène (Marlène)
Marylise (Marlise)
Maryvonne
Matee (Mathieu)
Mathias
Mathieu
Mathilda (Mathilde)
Mathilde
Mathurin
Mats (Mathieu)
Matteo (Mathieu)
Matthew (Mathieu)
Matthias (Mathias)
Matthieu (Mathieu)
Matty (Marthe)
Matty (Mathieu)
Maud (Mathilde)
Maur
Maureen (Marie)
Maurice
Mauricette
Maurin (Maurice)
Mauritha
  (Mauricette)
Max (Maximilien)
Maxant (Maxime)
Maxime
Maximilien
Maximilienne
  (Maximilien)
Maximin (Maxime)
Médard
Médéric
Meg (Marguerite)
Mélanie
Melchior
Mélissa
Mélissa (Emilie)
Mélisande
Mélisent (Mélisande)
Melly (Mélanie)
Mercédes
Merlin
Merlina (Merlin)
Merry (Médéric)
Métilde (Mathilde)
Mette (Marguerite)
Michael (Michel)
Miche (Michelle)
Michel
Michèle (Michelle)
Micheline (Michelle)
Michelle

Mick (Michel)
Miguel (Michel)
Mike (Michel)
Mikhaïl (Michel)
Milène (Mylène)
Milly (Emilie)
Miquette (Monique)
Mireille
Mirèio (Mireille)
Mirèse
Miriam
Misha (Michel)
Modeste
Moira (Marie)
Molly (Marie)
Monique
Moritz (Maurice)
Morris (Maurice)
Murielle
Mylène
Myrtille

N

Nadège (Nadia)
Nadia
Nadine (Nadia)
Nancy
Nancy (Anne)
Nanda (Emmanuelle)
Nanda (Fernande)
Nanette
Nannette (Anne)
Nanon (Anne)
Nanou (Anne)
Nanouk (Anne)
Naomi (Noémie)
Napoléon
Narcisse
Natacha (Nathalie)
Natalie (Nathalie)
Natasja (Anastase)
Natasja (Nathalie)
Nathalie
Nathan
Nathanaël
Naudin (Arnaud)
Nazaire
Nellie (Pétronille)
Nelly
Nestor
Nick (Nicolas)
Nico (Nicolas)
Nicodème
Nicola (Nicole)
Nicolaï (Nicolas)
Nicolas
Nicole
Nicolette (Nicole)
Nikita (Nicolas)
Nina

Nina (Catherine)
Nini (Eugénie)
Ninon
Ninon (Anne)
Noé
Noël
Noëlla (Noëlle)
Noëlle
Noémie
Nora
Nora (Eléonore)
Nora (Honorée)
Norbert
Nore (Eléonore)
Noreen (Nora)
Norina (Eléonore)
Norma
Norman

O

Obéron (Aubrey)
Obert
Octave
Octavia (Octavie)
Octavie
Octavien (Octave)
Octavienne (Octavie)
Octobre
Odelin
Odette (Odile)
Odile
Odillon (Odelin)
Odilon (Odelin)
Odin (Odelin)
Odon (Odelin)
Ody (Odelin)
Oge (Oger)
Oger
Ogier (Oger)
Olaf
Olav (Olaf)
Olderico
Olga
Olga (Helga)
Olimpe (Olympe)
Olive (Olivia)
Oliver (Olivier)
Olivia
Olivier
Olivieri (Olivier)
Olov (Olaf)
Olrik (Ulrich)
Olympe
Olympia (Olympe)
Omar (Omer)
Omer
Omond (Osmond)
Ondine
Onésime
Onfroi (Humfroi)

Opportune
Orlanda (Rolande)
Orlando (Roland)
Oscar
Osmond
Ossian (Oscar)
Oswald
Othello (Odelin)
Othon (Odelin)
Otto (Odelin)
Otton (Odelin)
Oury (Ulrich)
Oustric (Oustry)
Oustry
Ovide

P

Pablo (Paul)
Paco (François)
Paddy (Patrick)
Paloma
Pamela
Pancha (Françoise)
Panchita (Françoise)
Pancho (François)
Pancrace
Pandora
Paola (Paule)
Paolino (Paul)
Paolo (Paul)
Paquito (François)
Parcival (Perceval)
Pascal
Pascale
Pascaline (Pascale)
Pasquale (Pascal)
Pasqualino (Pascal)
Pasque (Pascal)
Pat (Patrick)
Patric (Patrick)
Patricia
Patrick
Patty (Mathilde)
Patty (Patricia)
Paul
Paule
Paulette (Paule)
Paulin (Paul)
Pauline (Paule)
Paulus (Paul)
Pavel (Paul)
Pearl (Perla)
Peer (Pierre)
Peggy (Marguerite)
Pélagie
Pénélope
Pépé (Joseph)
Pépi (Pépin)
Pépita (Joséphine)
Pépito (Joseph)

Peppe (Joseph)
Pépy (Pépin)
Perceval
Percy
Peréz (Pierre)
Perla
Pernelle (Pétronille)
Péronne (Pierrette)
Perronella
   (Pétronille)
Perry (Pierre)
Pétina (Pierrette)
Petroeshka
   (Pierrette)
Pétronille
Petula (Pierrette)
Philéas
Philemon (Philéas)
Philibert
Philippa (Philippine)
Philippe
Philippine
Philomène
Pie
Pierre
Pierrette
Pierrot (Pierre)
Pieta (Pierrette)
Pieter (Pierre)
Pina (Joséphine)
Pippa (Philippine)
Pippo (Philippe)
Pjotr (Pierre)
Placide
Placido (Placide)
Pol (Paul)
Polidore
Polly (Apolline)
Polycarpe
Polyte (Hippolyte)
Pomme
Ponce (Pons)
Pons
Primerose
Priscilla
Prosper
Prosperine
Prudence
Pulcherie

Q

Quentin
Quérine (Quirin)
Quirien (Quirin)
Quirin

R

Rachel
Radegonde
Raf (Raphaël)
Ragnhilde
   (Reinhilde)
Ragobert
Ragon
Ralph (Raoul)
Raimbaud
Raimond (Raymond)
Rainfray
Rainier
Rainoldo (Renaud)
Raïssa (Rachel)
Ramón (Raymond)
Ramona (Raymonde)
Raoul
Raphaël
Raphaëlla (Raphaël)
Raphel (Raphaël)
Raymond
Raymonde
Rebecca
Reg (Renaud)
Reggy (Renaud)
Régina (Régine)
Reginald (Renaud)
Régine
Régis
Regnault (Renaud)
Régnier (Rainier)
Reine (Régine)
Reiner (Rainier)
Reinhilde
Renier (Rainier)
Reinilde (Reinhilde)
Reinout (Renaud)
Remi (Remy)
Remy
Renald (Renaud)
Renan (Ronan)
Renat (René)
Renata (Renée)
Renato (René)
Renaud
Renault (Renaud)
René
Renée
Renelle (Renée)
Renilde (Reinhilde)
Renzo (Laurent)
Ria (Marie)
Rianne
Ribert
Ricaud
Richard
Ricardo (Richard)
Richie (Richard)
Richmond
Ricommard

Rienzo (Laurent)
Rigobert
Rigomer
   (Ricommard)
Rik (Richard)
Rika (Frédérique)
Rina (Marina)
Rinaldo (Renaud)
Ripert (Ribert)
Rita
Rita (Henriette)
Rita (Marie)
Rita (Marguerite)
Rob (Robert)
Robby (Robert)
Robert
Roberta (Roberte)
Roberte
Roberto (Robert)
Robin (Raoul)
Robin (Robert)
Robine (Roberte)
Robrecht (Robert)
Rocco (Roch)
Roch
Rocky (Roger)
Rod (Roger)
Roddy (Rodrigue)
Rodger (Roger)
Rodolphe (Raoul)
Roderick (Rodrigue)
Rodin
Rodrigo (Rodrigue)
Rodrigue
Rodriguez
   (Rodrigue)
Roger
Rogier (Roger)
Roland
Rolande
Rolf (Raoul)
Romain
Romaine
Roman (Romain)
Romana (Romaine)
Romano (Romain)
Rombaut
Rombout (Rombaut)
Romeo (Romain)
Romuald
Romy
Ronald
Ronan
Ronny
Roque (Roch)
Rorich (Rodrigue)
Rosa (Rose)
Rosalie (Rose)
Rosalinde (Rosaline)
Rosaline
Rosanne
Rose

Roselle (Rose)
Roselyne (Roseline)
Rosemarie
Rosemonde
Rosette (Rose)
Rosine (Rose)
Rosita (Rose)
Rosy (Rose)
Roul (Raoul)
Roxanne
Roy
Rubina (Roberte)
Ruby (Roberte)
Rudi (Raoul)
Rudolf (Raoul)
Rufin
Rupert (Robert)
Rurik (Rodrigue)
Rutger (Roger)
Ruth
Ruthy (Ruth)
Rutta (Ruth)
Ruy (Rodrigue)
Ryan

S

Sabina (Sabine)
Sabine
Sabrina
Sacha
Sacha (Alexandra)
Sacha (Alexandre)
Saddie (Sara)
Saëns (Sidonie)
Saïd
Saïdja (Saïd)
Salabert
Sally (Sara)
Salmon (Salomon)
Salomé
Salomon
Sam (Samuel)
Samantha
Samirah
Sammy (Samuel)
Samson
Samuel
Sancho
Sandrine
   (Alexandra)
Sandy (Alexandra)
Santi (Sancho)
Sanz (Sancho)
Sara
Saskia
Saturnin (Sernin)
Saul
Sauvin
Savine (Sabine)
Scarlett